De l'autre côté
du mur

Louise Tremblay-D'Essiambre

De l'autre côté du mur

Récit-Témoignage

Guy Saint-Jean
ÉDITEUR

Données de catalogage avant publication (Canada)
Disponibles à la Bibliothèque nationale du Québec

Nous reconnaissons l'aide financière du gouvernement du Canada par l'entremise
du Programme d'Aide au Développement de l'Industrie de l'Édition (PADIÉ) ainsi que celle
de la SODEC pour nos activités d'édition.

▮✦▮ Patrimoine   Canadian   **Canadä**   ⌇ODΞC
        canadien   Heritage   Québec ▪▪

Conception graphique : Christiane Séguin
Révision : Nathalie Viens

Dépôt légal 4ᵉ trimestre 2001
Bibliothèques nationales du Québec et du Canada
ISBN 2-89455-119-3

DISTRIBUTION ET DIFFUSION
Amérique : Prologue
France : E.D.I./Sodis
Belgique : Diffusion Vander S.A.
Suisse : Transat S.A.

GUY SAINT-JEAN ÉDITEUR INC.,
3172, boul. Industriel, Laval (Québec) Canada H7L 4P7. (450) 663-1777.
Courriel : saint-jean.editeur@qc.aira.com
Web : www.saint-jeanediteur.com

GUY SAINT-JEAN ÉDITEUR FRANCE,
48, rue des Ponts, 78290 Croissy-sur-Seine, France. (1) 39.76.99.43.
Courriel : lass@club-internet.fr

Imprimé et relié au Canada

À Gilles

L.T.-D.

*Aux membres de ma famille et plus particulièrement
à ma mère, Francine, décédée il y a un an
et qui attendait impatiemment de lire ce livre.
À ma fille Claudine, afin
qu'elle me connaisse un peu plus.
À ma conjointe et sa famille qui m'accompagnent
tous les jours.
Et à tous ceux et celles qui m'ont soutenu,
par leur amitié et leur confiance, et m'ont aidé
à devenir celui que je suis aujourd'hui.*

G.M.

« Choisissez des combats assez importants
pour qu'ils en vaillent la peine, mais assez petits
pour que vous les remportiez. Il n'est jamais trop tard
pour être celui que vous auriez dû être ».

Note de Louise Tremblay-D'Essiambre

Ça y est ! Je n'ai pu résister et, encore une fois, je vais permettre à quelqu'un d'utiliser ma plume pour livrer un témoignage. J'en suis flattée et touchée. Je suis transie de peur…

De nouveau, je vais avoir à me glisser dans les émotions d'un autre, un peu comme le comédien doit entrer dans la peau de son personnage et le faire sien avant de lui permettre de vivre sur une scène. Je vais tenter, au meilleur de mes intentions, de faire en sorte que me soient personnels les espoirs, les pensées, les attentes et les souvenirs d'un homme que je ne connaissais pas il y a quelques semaines à peine, avant de pouvoir les retranscrire sur la page blanche. Oui, j'ai peur, car le défi est de taille. Mais en même temps, je suis emballée, toujours à cause de ce même défi. C'est exigeant, difficile, contraignant pour l'imagination, mais, quand on réussit, le contentement que l'on ressent est grand. Chaque fois qu'une occasion comme celle-là se présente, cela me prend un temps infini avant de jeter les premiers mots sur le papier. J'ai besoin de tout savoir, de tout soupeser soigneusement. Je dois tourner et retourner dans ma tête chacun des éléments que l'on m'a fournis et les marier intimement à mon imagination vagabonde qui déteste les muselières.

Puis tout à coup, un bon matin, l'équilibre se crée. Je ne sais d'où ça vient, mais l'harmonie entre l'imagination pure qui précède la création et la réalité vécue par un autre est là, bien tangible. Des milliers d'images encombrent mon esprit, se chevauchent et se détachent, se faisant de plus en plus claires, précises, comme si je les voyais sur un écran de cinéma.

Alors je sais que je suis prête.

Cette fois, il s'appelle Gilles. Il a un peu plus de trente-cinq ans et déjà plusieurs vies derrière lui. Nous nous sommes rencontrés à quelques reprises. Il m'a jeté son vécu tout à trac, émotions et souvenirs confondus en une seule et unique réalité, la sienne. Je l'ai écouté, j'ai pris des notes, je l'ai surtout beaucoup observé. C'est souvent dans le regard et les attitudes spontanées que l'on peut voir la vie d'un autre. Un autre qui est en fait un inconnu, surtout au début d'une aventure comme celle-là. Dans le regard de Gilles, j'ai vu les émotions, les douleurs, la sincérité... Ses gestes sont larges, pondérés, je sens frémir une certaine impatience. Alors, tout doucement, à son propre rythme, un livre nouveau a germé dans ma tête grâce à lui. Et une amitié nouvelle se pointe à l'horizon...

Alors, Gilles ? Est-ce que tu es prêt ? Pour l'instant nous sommes encore presque des étrangers l'un pour l'autre bien que je connaisse beaucoup de choses de toi. Mais je sais, par expérience, que tout au long de cette promenade à deux, les barrières vont tomber d'elles-mêmes. Et si ton histoire me fait vibrer par tout ce qu'elle suppose d'émotions, tant positives que négatives, j'espère surtout arriver à toucher l'autre, le lecteur, pour qu'il sache et comprenne à quel point tu aimes la vie.

Pourtant, je sens, sans même avoir commencé à écrire, je sens d'une façon presque tangible, derrière les propos et les souvenirs de Gilles, que ce livre ne sera pas exactement comme les autres. J'ai l'impression que pour partager son vécu, il me faudra plonger dans l'émotion à l'état brut. Ce ne sera pas une histoire avec des péripéties qui vous tiennent en haleine ou des rebondissements imprévus. Parce que plus j'avance et plus je comprends que cette tranche de vie est un lent parcours initiatique. Finalement je crois que c'était ce que je devais saisir avant d'écrire. Cette histoire est le long cheminement d'un homme qui apprend la vie, qui décide et choisit le sens qu'il veut bien lui donner. Et je crois qu'on en est tous un peu là. Qui n'a pas eu à choisir en fonction d'événements qui viennent tout bousculer ? Qui peut prétendre avoir tout prévu ? À un moment ou à un autre de notre destinée, il surviendra toujours de ces surprises de la vie qui laissent décontenancés, blessés, indécis. Accident, divorce, deuil...

Alors oui, malgré le peu d'intrigues, je pense que l'histoire de Gilles a à voir avec notre vie à tous. Justement parce qu'il n'y a ni intrigues, ni folles escapades. La vie de Gilles ressemble en bout du compte banalement à la nôtre...

Ce livre sera à la fois un drôle de roman parce que toute vie ressemble un peu à un roman. Il sera aussi un recueil de réflexions, de prises de conscience, d'analyses. Le tout enveloppé d'une pellicule d'émotions intenses.

Vous en ferez bien ce que vous voudrez. Vous pourrez, tout simplement, puiser à même l'espoir d'un homme qui a finalement choisi la vie...

Chapitre 1

Chaque matin, le rituel était respecté.

Il se levait bien avant les autres. Vers cinq heures trente. Sans obligation, seulement pour le plaisir d'entendre la nature s'éveiller avec lui. Il n'y avait qu'un coq qui le précédait de ses vocalises matinales et lui servait de réveille-matin. Sinon, tous dormaient encore à poings fermés. Silencieusement il s'habillait avant de venir à la cuisine pour préparer le café. Puis tout aussi silencieusement, il sortait sur la galerie.

Dans les souvenirs de Gilles — curieux caprice de l'esprit, qui souvent ne garde que ce qui lui convient — il semble qu'il n'y avait que des aurores ensoleillées cet été-là. Des pâturages et des cultures éclaboussés de lumière, des oiseaux qui se répondaient à pleine gorge, des cigales qui s'empressaient de striduler à peine le jour levé.

Aucun doute, c'est précisément cette image qui s'imprime sur l'écran de ses souvenirs quand il repense à ces matins sur la ferme : le calme bruissant de la nature, la chaleur frémissante qui se prépare et la lumière…

À la campagne, dans les champs qui s'étalent paresseusement sans contrainte, le soleil n'a aucune entrave, alors il bondit brusquement au-dessus de l'horizon, inondant le paysage de clarté vive, dessinant des zones plus sombres mais qui restent curieusement scintillantes. Sitôt présent, l'astre du jour aspire goulûment la rosée que la nuit a déposée sur l'herbe. Gilles s'en souvient : à la senteur douce-amère du café se mêle étroitement celle, plus sucrée, de la brume qui monte en filaments de vapeur légère. Quelques lilas en grappes odorantes, les pommiers en fleurs... Il se rappelle aussi qu'à cette heure du jour, il arrivait parfois à entendre le silence à travers quelques bruissements mystérieux et les cris des animaux qui appelaient, qui incitaient l'homme à se lever lui aussi. Assis dans un coin d'ombre de la galerie, il savourait son café lentement, préparant sa journée en pensée. Sur une ferme, les jours se ressemblent tous un peu, même si, sous certains aspects, ils sont totalement différents les uns des autres. Il y a tellement de choses à faire ! Et c'est cela qu'il aimait. Une routine sécurisante parce que prévisible, et cette part d'imprévus qui ajoute l'agrément.

D'aussi loin que Gilles se souvienne, il avait toujours aimé les travaux manuels, la mécanique, les efforts physiques. Le travail de son père, opérateur de machinerie lourde, l'a toujours fasciné. Cette odeur d'huile, de moteur. C'est probablement pour cela qu'à la fin de son secondaire, il avait accepté de seconder son oncle et s'était installé à demeure chez lui, sur sa ferme. Le temps de réfléchir à ce qu'il voulait faire de sa vie avant d'entreprendre des études plus poussées. Et cela lui convenait parfaitement. Avec l'accord de sa famille, Gilles avait laissé derrière lui un père, une mère, deux sœurs et un frère. Mais à cet âge-là, c'est toujours vers l'avant que nous allons.

Et il était bien de ce choix. Il venait de s'acheter la

moto de ses rêves, il avait une nouvelle copine qui faisait naître en lui des émotions étranges et nouvelles. Il faisait un boulot qu'il aimait, il avait des tas de copains qui partageaient ses loisirs. Gilles s'investissait totalement dans un labeur physique qui comblait ses aspirations et il laissait couler la vie comme une belle rivière large et profonde. Tumultueuse aussi ! Les jours avaient à peine assez d'heures pour contenir tout ce qu'il voulait faire. Comme tant de jeunes, impétueux poulains à la barrière du corral, il piaffait devant la vie, et, plus souvent qu'autrement, il brûlait la chandelle par les deux bouts.

Que voulez-vous, il avait dix-neuf ans et le monde à ses pieds !

Et à cet âge-là, c'est souvent à ce prix, et uniquement à ce prix, que nous avons l'impression de vivre vraiment...

Devrait-on dire malheureusement ?

* * *

Ce matin-là était particulièrement tranquille. Peut-être était-ce à cause de cette brume nettement plus dense qu'à l'ordinaire qui gommait le boisé au fond du champ et faisait écran entre le soleil et la terre. Peut-être... Plus au sud, dans le pâturage, les vaches en oubliaient même de meugler, préférant continuer à somnoler tout en broutant machinalement une herbe un peu sèche. Un calme étrange étalait sa torpeur sur le paysage, feutrant les bruits. Pourtant, la chaleur humide qui montait de la cour laissait présager que la journée serait comme toutes les autres de ce mois de juillet, chaude et brillante. Le soleil aurait le dernier mot, c'était presque certain. Il commençait déjà à imposer sa présence : au-dessus du sapin, une tache plus claire se dessinait à travers les vapeurs du matin. L'annonceur météo avait probablement raison, la pluie ne serait pas au programme des prochains jours. Il annonçait une fin de semaine splendide et, malgré l'humidité presque palpable de l'air, Gilles osait croire que pour une fois, il ne se trompait pas. Ce soir, après l'ouvrage, il devait retrouver Manon chez elle pour le souper et ensuite, tous les deux, ils se joindraient à leur bande d'amis pour quelques jours de camping près de la rivière, à Saint-Émile d'Auclair.

S'étirant longuement, le jeune homme repoussa une mèche de cheveux humides sur son front et termina son café d'une longue gorgée. Puis il bâilla longuement, pas certain d'être bien éveillé. La moiteur de l'air donnait envie d'être paresseux. Malgré tout, il se releva et se glissa furtivement dans la maison. L'horloge du four micro-ondes indiquait six heures quinze. Encore un peu de temps devant lui avant de commencer la journée pour de bon. Tant mieux, car il avait besoin d'un autre café pour avoir les idées claires, la nuit ayant été un peu courte. Mais Gilles s'était juré que son organisme s'habituerait au rythme d'enfer qu'il lui imposait : levé tôt, couché tard, jamais au repos entre les deux, il voulait profiter pleinement de la saison. Au Québec, l'été est trop court pour ne pas en abuser. Surtout cette année. Parce que depuis quelques semaines, en plus du beau temps qui persistait, il y avait Manon... et sa moto. Oui, vraiment, un été parfait quand on a dix-neuf ans et de l'énergie à revendre.

Son cœur fit un petit bond imprévu quand il repensa à sa nouvelle copine. Il versa du café dans sa tasse, se tourna machinalement vers le réfrigérateur pour prendre le lait tout en imaginant le sourire de Manon. C'était une fille pas comme les autres. Elle avait un petit quelque chose de particulier, de différent, que le jeune homme aurait été bien embêté de décrire mais qui, parfois, faisait voler quelques papillons dans son estomac. Cette sensation était nouvelle pour lui, agréable, un grand bien-être qu'il n'essayait même pas de comprendre. Il se contentait de le vivre pleinement. Et comme un comble à cet été merveilleux, il y avait sa moto. Un rêve devenu réalité cette Yamaha 750 toute neuve. Un bolide qui dévorait la route, qui répondait nerveusement, se cabrant comme un fauve qu'on aurait essayé de retenir. S'il s'était écouté, Gilles aurait passé ses journées sur sa moto. Cette ivresse de filer au vent, ce bruit sous le casque, ces paysages qui défilent librement, cette sensation de contrôle absolu... Gilles étira un long sourire en regagnant la galerie. Oui, un dernier café bien fort, puis il attaquerait sa journée. Une journée qui risquait d'être passablement chargée s'il voulait avoir tout fini avant seize heures. Probablement une journée de fou, il s'en doutait, comme bien d'autres, finalement, mais tant pis. Il avait promis à Manon d'être chez elle en fin d'après-midi, et il tiendrait sa promesse. Cela valait la peine de faire quelques efforts, car après, ce serait la grande liberté ! Deux jours de vacances avec les copains.

Les gars s'étaient promis de faire une longue randonnée en moto le samedi...

Il revint sur la galerie sans faire de bruit. La maisonnée ne s'éveillerait que dans trente minutes, pour le train, et le jeune homme tenait vraiment à ces précieux instants de solitude du matin. Après, inévitablement, jour après jour, c'était la course contre la montre pour réussir à tout faire, et c'est tout juste s'il arrivait à penser. D'autant plus qu'aujourd'hui, il avait promis à son oncle de régler le moteur du tracteur qui crachait de plus en plus fort et de plus en plus souvent. Sans compter le foin qu'il fallait finir d'engranger, les animaux dont il fallait s'occuper, la...

— Gilles ?

Tiré de sa réflexion, Gilles sursauta en se retournant. Le nez écrasé contre la moustiquaire de la porte, les cheveux ébouriffés par l'oreiller et le visage encore chiffonné de sommeil, Christian, son petit cousin de presque quatre ans, le regardait en souriant. Gilles lui rendit son sourire. Il aimait bien ce petit bonhomme qui le suivait comme son ombre, calquant même parfois ses attitudes et ajustant ses réflexions sur les siennes.

— Déjà debout, toi ?

Christian échappa un long bâillement. Puis, d'une voix endormie :

— Oui. Je voulais pas être en retard.

Gilles fronça les sourcils.

— En retard ? En retard pourquoi ?

— Pour le tracteur.

Une lueur d'excitation traversa le regard du gamin. Tout à coup, l'enfant sembla tout à fait éveillé. Comme si le mot tracteur avait un pouvoir particulier.

— C'est bien aujourd'hui que tu répares le tracteur, hein ?

— Oui, tu as raison. C'est bien ce matin que je vais m'occuper du tracteur.

— Je peux t'aider ?

Une moquerie pleine de tendresse traversa le regard de Gilles.

— Tu veux m'aider?

Le bambin ouvrit la porte et se glissa sur la galerie. Puis, retenant la culotte de son pyjama d'une main, il leva un regard sérieux vers Gilles.

— Oui, je veux t'aider. Comme on a vu à la télévision.

— À la télé? Je ne te suis pas. Qu'est-ce que...

— Bien oui, reprit Christian avec une pointe d'impatience dans la voix. Comme l'autre jour, la course qu'on a regardée ensemble. Tu te rappelles pas? Y'étaient plusieurs à s'occuper de l'auto et tu m'as dit que ça allait bien mieux quand on était plusieurs à....

— Mais c'est bien vrai, l'interrompit Gilles. Le Grand Prix du Canada... Où est-ce que j'avais la tête? Et c'est aussi vrai que ça va bien mieux quand on est...

Le meuglement d'une vache mit un terme prématuré à ses explications. Gilles tourna la tête. Tranquillement, sans horloge ou de soleil pour lui indiquer l'heure, le troupeau s'était approché de la grange et attendait devant la barrière qu'on veuille bien s'occuper de lui. Cette constance, cette rigueur du quotidien sur une ferme lui plaisait, elle aussi. Avant le tracteur, il y aurait donc les vaches. Il se releva et tendit la main vers Christian.

— D'accord. On va réparer le tracteur ensemble. Mais avant, va falloir traire les vaches... As-tu entendu? Elles nous appellent. Viens, on va déjeuner...

C'est à l'instant précis où il ouvrit la porte que le soleil perça la couche de grisaille. Instantanément, un voile de chaleur enveloppa la ferme et une clarté vive leur fit cligner les paupières à tous les deux.

— Et laisse-moi te dire qu'il va faire chaud aujourd'hui, ajouta Gilles en jetant un regard autour de lui.

Comme l'autre jour à la télé... On va en suer un bon coup!
Mais dis-moi, Christian, qu'est-ce que tu connais à la mécanique, toi?

— Moi?

Le petit garçon releva la tête avec défi.

— Mais plein de choses, voyons! Y'a la boîte à outils
spéciale que papa prend quand il faut réparer les moteurs
et le cric dans le coffre de son auto. Et aussi la vieille...

Ils regagnèrent la cuisine en discutant moteurs comme
deux mécaniciens chevronnés!

* * *

Ce fut un samedi à la hauteur des attentes d'une bande
de jeunes qui venaient de dévorer joyeusement des kilomètres de route. En fin d'après-midi, ils étaient arrivés au
terrain de camping à la fois épuisés et excités. Surchauffés
par la vitesse et le plaisir de relever des défis, fatigués par
une longue journée au soleil et au grand air, ils avaient
monté les tentes en un tournemain. Éparpillées sur le terrain près du lac, les motos brillaient comme des bijoux
dans le soleil baissant. Et c'est bien ce qu'elles étaient pour
eux, ces motos: pour la plupart, c'était un rêve devenu
réalité, une longue attente enfin récompensée, un joyau
qu'ils traitaient aux petits soins. Ils trimaient dur à la scie-
rie, à l'usine pour la payer, l'entretenir, mais cela en valait
la peine. Ils pouvaient enfin arracher à la vie ce qu'ils
voulaient bien qu'elle leur donne. N'ayant pas vraiment
de responsabilités, chacun en profitait pleinement. Ils tra-
vaillaient peut-être très fort la semaine, mais ils s'amu-
saient tout aussi fort une fois la fin de semaine arrivée...

Ils avaient tous entre seize et vingt ans...

Victor, Harold, Marco, Denis, Alain, Robert, Gilles et les copines du moment... Oui, une belle bande de copains qui se connaissaient depuis toujours. La plupart avaient grandi ensemble, avaient traversé côte à côte l'adolescence, ses rêves et ses folies, avaient plus ou moins choisi des métiers à la faveur de l'embauche dans le coin. Aujourd'hui, ils avaient la sensation d'être des hommes et d'avoir pris leur destinée en mains. Les études étaient maintenant chose du passé et ils savaient que la majorité d'entre eux n'y reviendraient plus. Le travail quotidien en avait fait des adultes, peut-être un peu avant le temps, mais cela se passait ainsi dans la région. Le plus vite les jeunes dénichaient un emploi payant, le mieux ils s'en portaient.

Sur la pelouse bordant le lac, les petites tentes se dressaient contre les reflets chatoyants de l'eau. Les garçons commençaient déjà à bâtir l'échafaudage de bûches pour le feu de camp qui éclairait immanquablement chacune de leurs soirées de camping alors que les filles s'activaient à la préparation du souper. Chacun apportait ce qu'il voulait, tout le monde comparait, ils discutaient et finalement, ils mettaient tout en commun. On entendait des rires, des exclamations, des appels. Ils étaient passés par le dépanneur et les caisses de bière attendaient à côté des tentes. Les bouteilles commençaient à circuler librement. Ils avaient travaillé toute la semaine, alors ils avaient mérité cet instant de détente.

Puis à la brunante, ils faisaient craquer une allumette, ils s'installaient à qui mieux mieux autour du feu de camp et ils se laissaient aller...

Ce soir, la nuit était très sombre, sans lune, et l'eau du

lac n'était qu'une tache noire à peine mouvante où seules les flammes apportaient un peu de vie. Des petits groupes s'étaient formés autour du feu au gré des amitiés, des préoccupations ou du travail. Invariablement, après quelques minutes, les conversations bifurquaient sur les moteurs, les performances, les améliorations que chacun aimerait apporter à sa moto... Les flammes montaient toutes droites et les tisons filaient haut dans l'air immobile de cette nuit sans vent. Une nuit d'été où Gilles n'avait pas vraiment envie de dormir. Il était si bien dehors, la tête appuyée contre un sac de couchage encore roulé, à regarder le feu, à parler de tout et de rien avec Manon. Une soirée merveilleuse, parfaite...

— Salut Gilles, moi je dois partir...

Le jeune homme tourna la tête. Son copain Victor se tenait à quelques pas de lui, son casque de moto à la main. Il n'était que vingt-deux heures.

— Déjà?

— Hé! Que veux-tu, je rentre à la shop à six heures demain. Il faut que je dorme un peu.

— Déjà que t'as l'air fatigué. Tu cognais des clous tantôt, après le souper.

— C'est bien ce que je dis: faut que je dorme.

Gilles se redressa.

— Sois prudent, Vic. On sait jamais.

Victor poussa un soupir qui se voulait ironique.

— Mais je suis toujours prudent, voyons!

Puis après un bref silence, redevenu sérieux:

— Inquiète-toi pas, je connais mes limites... J'vais passer par Dégelis pour faire plus vite.

Gilles dessina alors une grimace.

— Tu feras attention ! C'est pas une route que tu connais... Après le grand bout droit, y'a un mur rocheux assez traître. De jour, pas de problème, on le voit venir de loin, mais la nuit, on a vraiment l'impression qu'il va nous sauter dessus.

— Noté ! Après le grand bout droit...

Victor ajusta son casque, et lança à la ronde :

— Salut tout le monde ! On se revoit vendredi prochain à Notre-Dame, à la disco...

Une autre habitude du groupe, ces soirées à la discothèque de Notre-Dame-du-Lac ou à celle de Ville Dégelis.

On entendit le moteur rugir ; Victor s'amusa à le faire vrombir un moment, assourdissant tout le monde, puis il embraya. Le ronflement s'intensifia encore un peu plus avant de décroître rapidement dans la nuit, remplacé par le crépitement du feu qui semblait maintenant presque silencieux après les pétarades du puissant moteur.

Les conversations se poursuivirent en sourdine pendant un moment, mais le départ de Victor avait été comme un signal. Petit à petit les groupes s'éparpillèrent, les couples regagnant leur tente. Mais curieusement, ce soir, Gilles n'avait pas du tout envie de dormir. Il se sentait aussi alerte qu'au petit matin.

— Je te rejoins dans quelques instants, Manon, dit-il alors que sa copine manifestait le besoin de se reposer. Une dernière bière et je te suis...

— D'accord. Je vais t'attendre avant de dormir...

Et peu à peu, on n'entendit plus que le bruit du feu et quelques trilles d'oiseaux nocturnes se superposant aux appels amoureux des grenouilles. Dans le boisé tout près de là, on pouvait deviner la présence des mouches à feu qui semblaient vouloir rivaliser avec les tisons qui montaient toujours tout droit dans le ciel. C'est alors que Robert s'approcha de Gilles qui sourit.

Comme souvent, les deux frères finiraient la soirée ensemble et seraient probablement les derniers à aller se coucher.

Depuis que Gilles s'était installé chez son oncle, les deux garçons en profitaient pour bavarder chaque fois qu'ils le pouvaient. Sans oser le dire, ni l'un ni l'autre, ces échanges qui avaient été quotidiens du temps de leur enfance leur manquaient.

— Pis? Quoi de neuf?

Tout en parlant, Robert lança son sac de couchage sur le sol près de Gilles avant de s'allonger à son tour et se mettre à fixer les flammes rougeoyantes.

— Le train-train. Rien de bien nouveau. Et toi?

Robert éclata d'un rire bref, sec. De ce rire coutumier qui ne s'étirait jamais longtemps et qui semblait même un peu forcé, on ne savait trop pourquoi.

— Le train-train. Rien de bien nouveau.

De nouveau, le silence s'immisça entre les deux garçons. Mais ce n'était ni encombrant ni désagréable. Ils étaient nombreux ces silences entre eux, ils avaient toujours fait partie de leur vie, puisque l'un comme l'autre était réservé. Ils y étaient habitués et ne les bousculaient jamais inutilement. C'est Gilles qui se décida le premier, déclarant d'une voix sourde, comme s'il ne parlait que pour lui-même :

— Sais-tu à quoi je pensais, après-midi, pendant qu'on roulait?

Et sans attendre de réponse :

— Je pensais que c'est ça que j'aimerais vraiment faire de ma vie : rouler. Rouler de plus en plus vite, toujours. J'sais pas... Peut-être pilote de course ou pilote d'avion. Ça se ressemble un peu.

— J'peux comprendre ça.

Gilles éclata de rire à son tour. Venant de Robert, la répartie ne le surprenait pas vraiment. Depuis toujours, son jeune frère était un vrai cascadeur. Il ne connaissait pas le danger et prenait un malin plaisir à toujours repousser ses limites. Comme s'il avait quelque chose à prouver. Mais peut-être bien que c'est à lui-même qu'il voulait prouver des choses. Peut-être... Robert était aussi quelqu'un de renfermé et on ne savait trop ce qu'il pensait. Il ne parlait que rarement de lui-même... De le constater une fois de plus, Gilles soupira, resta un moment perdu dans ses pensées puis revint à sa préoccupation première.

— Par contre, enchaîna-t-il sur sa lancée, je ne sais trop ce que papa pourrait en penser. Tu sais à quel point il aimerait qu'on suive ses traces.

Cependant, au bout d'un instant de réflexion, il ajouta :

— Remarque que ça non plus, ça ne serait peut-être pas désagréable... Opérateur de machinerie lourde... En autant qu'il y a des moteurs... Je ne sais plus...

Robert ne répondit pas tout de suite. Puis il se souleva sur un coude.

— Tu connais papa ! Tu sais que ce qu'il a toujours voulu pour ses enfants, c'est qu'ils soient heureux. Autonomes, oui, surtout heureux. Alors...

— Peut-être bien que tu as raison...

— Qu'importe la façon dont tu vois ta vie, Gilles. Ça regarde personne d'autre que toi. Pas même les parents. En autant que tu fais ce que tu as envie de faire... Pour moi, c'est la seule chose qui soit importante : faire ce qu'on sent important de faire...

La réponse resta suspendue dans l'air entre eux. Gilles était surpris du sérieux qu'il avait senti dans les paroles de Robert. Comme si ces quelques mots dépassaient le sens réel qu'on pouvait leur donner. Son frère n'avait que seize ans, encore un ado... Mais dans le fond, n'avait-il pas raison ?

— Oui, tu as raison, répéta-t-il alors. Ne reste qu'à savoir vraiment ce que moi je veux et décider par quel bout je peux mettre tout ça en branle. Qu'est-ce que tu en penses ?

Robert haussa les épaules comme si la question de Gilles se répondait d'elle-même.

— Moi, je commencerais sûrement par un cours de mécanique. Tu l'as dit toi-même tantôt : en autant qu'il y a des moteurs. Après tu verras...

— C'est sûr... Je crois que je vais en discuter avec papa. On verra bien...

— C'est peut-être la meilleure chose à faire.

Et sur ces mots, le silence se réinstalla entre eux. Quelques mots, des bribes de phrases, mais tous les deux savaient qu'ils s'étaient compris. Comme deux frères peuvent le faire. Pendant un bref moment, Gilles se surprit à penser qu'il aimerait que Robert soit plus expansif, plus volubile. Puis il oublia aussitôt cette idée. Robert était ce qu'il était, il ressemblait à leur père qui ne parlait jamais pour ne rien dire. Charles-Eugène Morin semblait toujours soupeser ses paroles avant de les prononcer. Mais quand il se décidait à intervenir, il fallait en tenir compte. Quant à Robert, si tout comme leur père il ne parlait pas beaucoup, il compensait ce côté taciturne par une personnalité excessive : tout en lui criait l'envie de toujours faire plus, d'aller plus loin. Parfois au détriment d'une certaine prudence. Mais comment lui en tenir rigueur : Robert n'avait que seize ans, après tout. Gilles esquissa un petit sourire dans le noir. À bien y penser, il était chanceux d'avoir un frère comme lui. À demi-mots, à travers les retraits et les silences, malgré les attitudes bizarres et les idées franchement folles, ils savaient pouvoir compter l'un sur l'autre...

Comprenant que pour l'instant, ce qui avait à être dit l'avait été, Gilles se concentra sur les flammes baissantes, sans plus, laissant son esprit se détendre. À peine ces quelques mots, et il avait compris que son frère était d'accord avec son idée. Cela avait un petit quelque chose de réconfortant. Gilles savait fort bien que lui seul allait décider de son avenir, mais savoir que Robert partageait une partie de ses rêves lui semblait important.

Ils terminèrent la soirée en discutant moteurs et comparant les performances de leurs motos respectives. Malgré son jeune âge, Robert en connaissait un bout sur la mécanique. Lui aussi, à seize ans, il possédait déjà sa moto. Au printemps, avec l'accord de son père qui avait toujours jugé qu'une expérience de travail n'était jamais perdue, il avait accepté un emploi au moulin à bois. Et comme cela payait bien, la moto avait suivi rapidement.

Quand ils se quittèrent enfin, la nuit était passablement entamée. Ils se promirent de reparler des projets de

Gilles à la prochaine occasion. Et pourquoi pas dès demain quand toute la famille serait réunie chez les parents pour le souper dominical...

* * *

Assis confortablement dans son fauteuil habituel, dans un coin du salon, Charles-Eugène Morin contemplait silencieusement sa famille. Les quatre jeunes semblaient toujours se retrouver avec plaisir et c'était là son plaisir à lui. Louise avait aidé sa mère à préparer le repas, les deux gars étaient arrivés ensemble avec leurs amies dans le bruit pétaradant de leurs motos et Brigitte, l'aînée, mariée depuis un an, s'était jointe au groupe quelques instants plus tard. Comme la plupart des dimanches. Et de les voir respecter cette habitude lui faisait chaud au cœur. Il était fier d'eux, de leur volonté, de leur enthousiasme face à la vie. Même sa cadette qui venait de subir certaines difficultés ne s'était pas laissée aller. Elle continuait d'avancer la tête haute. Et leurs amis du moment recevaient son assentiment. Des gars et des filles droits, sains... Tout comme son gendre Denis, le mari de sa fille aînée. Oui, une belle famille, bientôt arrivée à bon port. Ils y avaient mis tout leur cœur, sa femme et lui. Et les années n'avaient pas toutes été faciles. Les longs mois passés à la Baie-James lui revenaient souvent à la mémoire. Mais les sacrifices qu'ils avaient consentis à faire à cette époque avaient valu leur pesant d'or. Les enfants n'avaient jamais manqué de rien et aujourd'hui, les choses allaient bon train. Le plus dur était derrière eux. Les rires venant de la cuisine et les discussions enflammées qui le rejoignaient suscitèrent chez lui un long soupir. Un soupir de contentement.

Puis on passa à table...

De nouveau, silencieusement, sans se mêler aux conversations, Charles-Eugène s'amusait à détailler les siens. Ils étaient en grande partie sa raison d'être et ces soupers du dimanche lui donnaient toujours cette envie de continuer à travailler. Pour eux et pour Francine, son épouse. Toujours bien mise et si jolie malgré le passage du temps. Il aimait bien son petit côté têtu même si parfois cela avait engendré certaines discussions. Par contre, elle avait su prendre la relève quand il avait eu à s'éloigner. À sa façon bien à elle, et cet entêtement dont elle faisait preuve venait peut-être de là. Ce ne devait pas être tous les jours facile d'élever une bande de jeunes toute seule... Dix ans... Dire que son exil avait duré dix ans, avec de simples visites aux mois, sauf l'été... Francine n'avait pas vraiment vieilli. Ou alors, elle l'avait fait en beauté, se dit-il pour la énième fois, en la regardant du coin de l'œil.

Et ses filles! Jolies et délicates comme leur mère, décidées, voire fonceuses, elles allaient droit devant. Brigitte, l'aînée, avait su seconder Francine et continuait à prendre son rôle de grande sœur très au sérieux. Et Louise, son bébé, que rien ne semblait arrêter. Pas de souci à se faire de ce côté-là. Ses filles sauraient tracer leur chemin dans la vie.

Comme ses fils, Gilles et Robert qui avaient l'air de sortir du même moule. Même si Gilles, de deux ans l'aîné de Robert, commençait à prendre un peu plus de coffre alors que Robert avait encore cette allure d'adolescent tout en bras et en jambes et semblait ne pas vouloir finir de grandir. Et il était plutôt réservé. Mais les jeunes ne sont-ils pas tous un peu renfermés à cet âge-là? Rien ne leur convient. Surtout pas ce qui vient de la famille et des parents. «Paraîtrait que c'est normal, se dit-il en regardant Robert. Même si Gilles était différent à seize ans, ça ne veut pas dire que...» Sur ce, Charles-Eugène s'intéressa à la conversation qui semblait fort animée entre les deux frères. Oui, ils avaient beaucoup de points communs, surtout quand ils se mettaient à discuter entre eux comme présentement. Il ne put s'empêcher de s'interposer, amusé et sérieux à la fois. Quelques mots de leur conversation avaient réussi à se faufiler dans le cours de ses pensées et il lui semblait important d'intervenir.

— Comme ça, tu veux devenir pilote? Pilote de quoi?

Gilles se tourna aussitôt vers son père. Malgré le sérieux de sa voix, Charles-Eugène semblait s'amuser beaucoup.

— Je ne sais pas encore... Une chose que je sais, par contre, c'est que j'aime les défis, la vitesse et...

— À ton âge, on est tous un peu pareil... Faudrait pas prendre une toquade d'adolescent pour une certitude.

— Vous êtes bien pareils, toi et Robert, intervint alors Brigitte, une pointe d'impatience dans la voix, comme si son frère Gilles venait de dire une énormité. Deux vrais chiens fous qui ne voient pas plus loin que le bout de leur nez. Pilote! Voir si c'est à la portée de tout le monde! Faut des contacts, des...

À ces mots, Gilles lança un regard noir vers sa sœur. Il l'aimait bien, Brigitte. C'était une fille de bon jugement. Mais quand elle se permettait de... Il haussa alors les épaules et revint à son père.

— Je comprends ce que tu veux dire, papa. C'est vrai que ce ne sera pas facile et que j'ai peut-être encore bien des choses à apprendre avant d'en être là... Mais pourquoi pas?

— Je ne dis pas le contraire. Par contre, faut pas brûler les étapes.

— C'est sûr. C'est pourquoi je pensais suivre un cours de mécanique à l'automne. Aussi bien commencer par là, ça ne sera jamais perdu.

— Sage décision, ces cours de mécanique... Ton idée a du bon... Je te vois en pilote d'avion, mon gars. Mais t'es encore jeune. Commence par un bon cours, après, il sera toujours temps de réviser tes positions si jamais tu vois que ton idée a changé.

Gilles bomba le torse en regardant son père.

— C'est ce que je me dis. Par contre, je sais que je ne changerai pas d'idée. Tu vois, il y a des...

Gilles était tout feu tout flamme... Et portant attention à ce qu'il disait, Charles-Eugène ne put s'empêcher de penser que la vie finirait bien par montrer le bon chemin à son fils. Quitte à lui donner un petit coup de pouce s'il le fallait. Puis il revint aux propos de son garçon. Malgré cette fougue un peu débridée, il savait qu'il pouvait lui faire confiance. Gilles était tout ce que l'on voulait sauf une tête folle. Alors il se décida et sauta à pieds joints dans la discussion qui finalement engloba toute la famille. On se mit à comparer les valeurs respectives des différents cégeps de la région et aussi des polyvalentes offrant des cours de mécanique...

Ça me plaît toujours de discuter avec mon père. Il a des idées justes et claires et finalement, il n'est jamais vraiment contre nous. Et c'est agréable aussi de savoir qu'il approuve mes choix. C'est même super ! Eh ! Il a dit qu'il me voyait en pilote. Ça, ça me fait plaisir... Je ne sais pas si j'aurais persisté si... Mais pourquoi me poser des questions ? Tout va tellement bien cet été ! Tout ! Manon, mon travail, les amis... C'est l'fun que tout le monde ait une moto cette année. J'aime ça quand on part en gang, qu'on fait du camping...

Je ne sais pas comment mon oncle va réagir quand je vais lui dire que j'ai envie de reprendre mes études. C'est sûr que ça va le déranger. Par contre, il a toujours dit que c'était important de bien se préparer à son avenir. Il devrait comprendre même si ça va l'obliger à s'organiser autrement... Et Christian, lui ? Sacré petit bonhomme ! Je vais m'ennuyer de lui. Tellement. C'est un peu fou mais quand je le regarde, j'ai hâte d'avoir des enfants. C'est peut-être aussi à cause de Manon. Jamais je pensais qu'on pouvait aimer quelqu'un comme j'aime cette fille-là. Jamais. On est tellement bien ensemble. On pense pareil, on aime les mêmes choses...

C'est drôle, mais maintenant que j'en ai parlé, il me semble que je vais pouvoir penser sérieusement à devenir pilote d'avion. Mon idée n'est pas si folle que ça. Même mon père dit que c'est réalisable. Plus j'y pense et plus c'est ça que j'ai envie de faire : pilote d'avion. Peut-être dans l'armée. Oui, dans l'armée. Je sais que j'en suis capable. La semaine prochaine, je vais me renseigner un peu partout : cégep, polyvalente, et je vais même appeler à Valcartier. On verra bien...

Des avions... Ça doit être drôlement plus nerveux qu'une moto, non ?

Chapitre 2

S'il y a un moment de sa vie qui restera marqué à jamais, c'est bien cette nuit du dimanche 11 juillet 1982. Pourtant, c'est un curieux souvenir. À la fois très précis parce que décisif et en même temps presque flou parce que trop intense. Un peu à l'image d'une marque au fer rouge. Avec le temps, la douleur s'estompe, ne laissant qu'une cicatrice boursouflée. On se rappelle la douleur ressentie mais vaguement, la mémoire l'ayant ainsi décidé. Et c'est la cicatrice qui prend finalement toute la place. Qui engendre les souvenirs, justement. Il en va ainsi de cette nuit du onze juillet. Comme si le voile des émotions vécues en ces instants d'horreur enveloppait les événements, ne leur laissant qu'une perspective imprécise, sans importance aujourd'hui. Ne perdure finalement qu'une sensation globale, intense, immense. L'impression que quelqu'un a rattrapé notre vie et l'a avalée d'un coup, sans crier gare. Une rupture qui a tout dicté. Un froid glacial au corps et à l'âme, posé par inadvertance sur cet été tout en lumière et en chaleur. Une peur qui survivra en Gilles, qu'il ressent encore quand il lui arrive de repenser à ces moments-là. Il se souvient aussi de la douleur violente, taillée à même la chair, et qui dévore sans pitié la lucidité et la volonté, ne laissant que l'instinct de survie, l'instinct animal qui fait que l'on s'accroche à la vie envers et contre tout. Une douleur qui fut si présente qu'elle laisse un goût de cendres dans la bouche, malgré le passage du temps. Un grand trou noir et le vertige que l'on ressent quand on se voit tomber dans un gouffre sans fond. La spirale du temps arrêtée sur une seconde de trop dans sa vie. Une seconde qui ne veut plus finir... Ne vivra à jamais dans sa mémoire que la certitude que sa destinée s'est brutalement cassée la gueule sur un mur de roc et qu'après, plus rien n'a été pareil.

* * *

La journée avait été rude en ce dimanche onze juillet. Il continuait à faire chaud et humide. À la fatigue normale d'une longue journée de travail physique au grand air s'ajoutait une sensation d'accablement qui rendait chaque geste à poser lourd et astreignant. Quand Gilles entra dans la cuisine pour souper, le soleil s'apprêtait déjà à se coucher. Ce même soleil qu'il avait vu se lever le matin. Une lueur rougeâtre soulignait l'horizon, dessinant des ombres très longues sur le champ. Le troupeau n'était plus qu'une multitude de petits points noirs se découpant sur un ciel de feu. Il passa la porte de la cuisine en faisant rouler ses épaules endolories et en soupirant de lassitude à l'instant même où un petit bolide en pyjama fonçait sur lui. Entêté comme jamais, Christian avait finalement obtenu de sa mère d'attendre que Gilles revienne à la maison avant d'aller au lit.

— Fatigué ?

Gilles leva la tête tout en se penchant pour prendre son petit cousin dans ses bras. Appuyée contre le comptoir de la cuisine, sa tante Lisette le regardait en souriant gentiment. Une bonne odeur de poulet grillé flottait dans l'air. Le jeune homme lui rendit son sourire malgré la fatigue.

— Oui, crevé, avoua-t-il en se relevant. Et affamé ! Ça sent bon !

Lisette se mit à rire.

— Pas de problème, tout est prêt...

— Merveilleux. Le temps de me débarbouiller et je reviens. Mon oncle Benoit fait dire qu'il n'en a pas pour longtemps. Il meurt de faim, lui aussi...

Puis s'adressant à Christian :

— Tu m'attends ici ? J'en ai pour quelques instants...

Mais le gamin le suivit jusqu'à la porte de la salle de bain. Depuis quelques mois, il ne jurait que par Gilles et le jeune homme le lui rendait bien. Entre eux s'était tissée une complicité qui comblaient certaines attentes de part et d'autre...

Gilles dévora à belles dents tout ce qui se présenta devant lui, partageant même quelques bouchées avec Christian bien installé sur ses genoux, le nez en l'air, comme propriétaire des lieux.

— Mais laisse Gilles tranquille, Christian, gronda Lisette qui trouvait que son fils exagérait par moments. Il me semble qu'il a le droit d'avoir la paix, non ?

Mais c'était peine perdue, Gilles envisageait les choses de la même façon que le bambin.

— Laisse faire, ma tante, lança-t-il tout en serrant le petit garçon contre lui. C'est bien correct comme ça. Il ne me dérange pas.

Puis, en ébouriffant la petite tête blonde blottie sur son épaule, il ajouta :

— Christian et moi, on fait une sacrée équipe. Hein, bonhomme ?

Le regard qui se leva alors vers Gilles brillait avec autant de fierté que celui d'un champion olympique. Oui, ils formaient une sacrée équipe !

Gilles s'occupa de mettre le gamin au lit, la chose étant décrétée depuis fort longtemps et irrévocable quand Gilles était à la maison à l'heure du coucher. Mais le petit bonhomme semblait avoir encore passablement d'énergie pour quelqu'un qui devait dormir. Gilles dut user d'imagination pour obtenir du petit garçon qu'il se glisse enfin sous les couvertures.

— Promis, répéta-t-il pour la troisième fois en remontant le drap. Demain, on répare la clôture au fond du champ. Ça fait un bon bout de temps que ton père en parle. Ça va lui faire plaisir qu'on le fasse.

Puis il ajouta la phrase magique, celle qui pouvait engendrer toutes les promesses et tous les compromis :

— Je vais avoir besoin de toi pour tenir les poteaux pendant que je vais tendre le fil barbelé... Alors, vite, dodo, si tu veux être à la hauteur.

Christian étira un long sourire. Gilles avait besoin de lui ! Rassuré, l'enfant poussa un long soupir de contentement et sa tête se fit lourde sur l'oreiller. À cette condition-là, il était bien d'accord pour dormir ! Les paupières battirent un moment, de plus en plus pesantes puis l'enfant s'endormit tout d'un coup, dans un dernier bâillement. Gilles en profita pour s'éclipser sur le bout des pieds. Il avait promis une visite éclair à Manon qu'il n'avait pu voir pendant la fin de semaine et il commençait à se faire tard. D'autant plus qu'il en avait pour quarante-cinq minutes au moins avant d'arriver chez elle. Il se dirigea donc rapidement vers la cuisine et sans un mot, il se mit à enfiler sa veste.

— T'es sûr que c'est raisonnable de partir à cette heure-là ? T'as les yeux cernés jusqu'au milieu des joues...

Revenu à la maison, attablé devant son repas, Benoit, son oncle, regardait Gilles avec une certaine sévérité sur le visage. Le jeune suspendit son geste pendant un instant, puis haussa les épaules en refermant la fermeture éclair de sa veste d'un geste sec. Benoit reprit là où il avait laissé, les yeux ramenés sur son assiette.

— C'est bien beau être jeune, mais il y a des limites à ce qu'un corps peut endurer. Faudrait peut-être que tu penses à dormir, des fois... Essaye donc d'être raisonnable pour ce soir. Juste pour ce soir.

Gilles ne put s'empêcher de soupirer. Son oncle Benoit venait encore une fois de mettre le doigt sur la seule source de discorde entre eux. C'était harassant à la fin.

— Je pense que je suis assez grand pour savoir ce que j'ai à faire, non ? rétorqua-t-il enfin un peu plus sèchement qu'il ne l'aurait voulu. Est-ce que mon travail te donne des raisons de te plaindre ?

Le ton de la réplique fit relever les yeux de Benoit. Une impatience certaine pouvait se lire dans son regard.

— Non ! Et tu le sais. Là n'est pas le problème. Mais il me semble que...

Gilles se retourna vivement.

— S'il vous plaît ! On ne va pas encore revenir sur le sujet, d'accord ? Déjà que je n'ai pas pu aller souper chez mes parents... Je me sens en forme, je n'ai pas vu Manon de la fin de semaine et ça va me faire du bien de changer d'air...

Benoit soupira, hésita, le temps de prendre une bouchée. Gilles n'avait pas complètement tort. Benoit savait à quel point les dimanches en famille avaient de l'importance aux yeux de son neveu. Et jamais il ne se plaignait quand il devait déroger à ses habitudes. Malgré tout, il se décida à insister un peu plus. Brusquement, cela lui semblait important de le faire.

—Je peux très bien comprendre les raisons qui te motivent, mais ça ne veut pas dire que tu as raison. Je persiste à dire qu'une vraie nuit de sommeil ne te ferait pas de tort.

C'était comme si Benoit n'avait rien dit. Attrapant son casque de moto, Gilles prit à peine le temps de se retourner pour lancer avant de quitter la cuisine :

— Promis, je ne reviens pas trop tard. J'ai dit à Christian qu'on réparerait la clôture, demain. Je veux me lever de bonne heure.

Benoit haussa les épaules avec impatience. Autant parler à un mur ! Gilles entendait vivre à sa façon et en cela, il ne différait pas vraiment des autres jeunes de son âge. Puis Benoit poussa un long soupir. Dans le fond, Gilles avait peut-être raison. Pourquoi gâcher les relations qui existaient entre eux alors que le jeune homme lui donnait satisfaction sur tous les autres plans ? Il finirait bien par comprendre tout seul...

L'air frais qui fouetta le visage de Gilles, tout au long de la route qui le menait chez Manon, lui redonna une certaine erre d'aller. Quand il arriva enfin chez sa copine, il ne ressentait plus la lourdeur de cette longue journée de travail de façon aussi vive. Même qu'il se sentait presque en forme, frais et dispos. Et c'était habituel, cette sensation de bien-être. Une randonnée en moto lui faisait toujours cet effet : il connaissait alors un regain d'énergie. Comme si l'obligation d'être vigilant conjuguée à la fraîcheur de l'air qui giflait son visage lui redonnait toutes ses capacités, amenait une poussée d'adrénaline bénéfique qui effaçait immanquablement toute trace de fatigue. Et il était sincèrement heureux de voir Manon. Son sourire radieux quand elle vint au-devant de lui et le plaisir ressenti à faire de la moto fit qu'il ne regretta pas d'avoir tenu tête à son oncle. La nuit n'en serait que meilleure après.

C'est donc avec empressement qu'il accepta de prendre une bière pendant que les deux jeunes gens faisaient des projets pour la fin de semaine suivante. Avec la famille de Gilles, on avait parlé d'une randonnée jusqu'à Matane. Ce serait bien si le beau temps persistait... Puis la conversation bifurqua et ils se mirent à parler des études que Gilles voulait entreprendre, de celles que Manon voulait poursuivre. Pourquoi ne pas s'installer à deux à Rivière-du-Loup ? Trouver un petit logement, peut-être ? Gilles et Manon en devenaient presque fébriles, discutant les yeux dans les yeux. Puis la nuit tomba tout d'un coup, au-dessus des champs comme souvent en juillet, avalant rapidement les quelques traces lumineuses qui s'entêtaient au-dessus de l'horizon. Alors Gilles échappa un long bâillement en riant. Déjà ! La fatigue venait de le rattraper.

— On dirait que la noirceur me donne brusquement envie d'être dans mon lit... Je crois qu'il serait temps que je parte.

Manon dessina une moue. Ils étaient si bien ensemble, ce soir. Et tous ces projets d'avenir qui donnaient un sens nouveau à leur relation. Gilles... Son cœur fit un petit bond de travers et la jeune fille s'empressa de glisser sa main dans celle de son amoureux.

— T'es sûr que tu ne veux pas un café avant de t'en aller ? T'as l'air vraiment fatigué, ce soir.

Gilles hésita une brève seconde. C'est vrai qu'il se sentait particulièrement épuisé. Le fait de boire une seule petite bière avait suffi à le faire glisser dans une espèce d'état de torpeur que seule une bonne nuit de sommeil arriverait à dissiper. Il en était persuadé. Puis il pensa brusquement à la pilule de *speed* qu'il avait prise avant le souper. Cela devrait suffire pour lui permettre de rentrer sans problème. Il se décida d'un coup.

— Non... Merci quand même, mais ça me mettrait trop tard. J'ai une grosse journée à faire demain.

Manon fit la moue encore une fois. Pourtant, elle comprenait. Alors elle se releva et vint s'asseoir sur ses genoux. Juste pour un instant parce qu'elle n'avait pas envie qu'il parte déjà, parce qu'elle comprenait qu'elle tenait de plus en plus à lui. Pendant quelques instants Gilles la tint tout contre sa poitrine, conscient lui aussi que les brèves heures passées ensemble filaient toujours trop vite. Plus l'été avançait et plus il avait envie d'être avec elle. Manon se fit toute petite contre son épaule, puis se dégagea en soupirant.

— D'accord, comme tu veux, pas de café. Même si ça ne me tente pas que tu partes tout de suite...

Gilles plongea son regard dans le sien. Lui non plus, il n'avait pas vraiment envie de s'en aller. La nuit était douce, les étoiles scintillaient, la lune venait de se lever vers l'est, brillante comme un réverbère, jetant un reflet bleuté sur les ombres que le soleil avait dorées quelques instants auparavant. Il referma les bras sur Manon, la tint très serrée contre lui. Brusquement l'idée un peu folle de se trouver un petit logement ne lui semblait pas si folle que cela.

— Moi non plus, je n'ai pas vraiment envie de partir. Mais ai-je le choix? J'ai une journée de fou à faire demain et j'ai promis à mon oncle d'arriver de bonne heure. Pense à la fin de semaine qui s'en vient. On va avoir deux longues journées à passer ensemble. Pense à tout ce dont on vient de parler. C'est pas super, ça?

Manon lui fit alors un sourire un peu triste. Puis elle s'ébroua en secouant la tête, n'étant pas fille à s'apitoyer longuement sur les situations.

— D'accord, tu as raison...

Puis sautant du coq à l'âne:

— Et pour mon permis de conduire, qu'est-ce qu'on fait? On y va ensemble comme tu l'avais dit?

— C'est sûr. Je vais trouver un moment pour y aller avec toi. Je te rappelle demain matin avant d'aller travailler au bout de la terre de mon oncle pour réparer la clôture. C'est promis. Et maintenant, comme je l'ai recommandé à Christian tout à l'heure, au dodo si on veut être en forme! Mais avant...

Gilles se pencha et embrassa Manon avec fougue. Jamais il ne s'était senti aussi proche de quelqu'un. Il ressentait une harmonie nouvelle entre eux qui n'avait rien à voir avec tout ce qu'il avait vécu jusqu'à ce jour...

Puis sans attendre, il se dirigea vers sa moto en soupirant. Machinalement, il saisit les gants de Manon qu'il avait déposés sur le siège de son engin en arrivant et les glissa dans la poche intérieure de sa veste comme il le faisait chaque fois que la jeune fille n'était pas avec lui. Il se retourna une dernière fois et son regard croisa celui de Manon. Puis, avant de changer d'idée, il enfourcha brusquement sa moto. Dans moins d'une heure, il serait dans son lit...

Les premiers kilomètres de la longue route qui le ramenait chez lui défilèrent rapidement. L'air de plus en plus frais de la nuit lui fit du bien pour quelques minutes. Il n'arrêtait pas de repenser à la conversation qu'il venait d'avoir avec Manon, essayait d'en faire un but et non un simple projet, alignait des chiffres et des hypothèses... Mais, petit à petit, à son corps défendant, il sentit ses paupières devenir lourdes comme du plomb. L'effet du *speed* devait commencer à se dissiper. Bizarrement, son esprit bascula et tout à coup il se rappela que cela lui arrivait parfois quand il était gamin : lorsque le sermon du curé était trop long ou le cours du professeur ennuyant, il avait de la difficulté à garder les yeux ouverts. Il devait se battre avec lui-même pour ne pas s'endormir sur le banc de bois verni ou sur sa chaise d'étudiant. Tout comme maintenant. À ce souvenir, l'envie de fermer les yeux se fit presque violence. Machinalement, Gilles leva la main pour se frotter le visage comme il le faisait à l'époque. C'était efficace. Mais son gant heurta la vitre de son casque. Il soupira d'impatience, et à défaut, cligna vigoureusement des paupières et bâilla bruyamment tout en roulant les épaules pour détendre ses muscles fatigués. Il ramena ensuite son attention sur la route. Les premières maisons du village de Saint-Émile d'Auclair approchaient rapidement. Les quelques lumières qui bordaient la rue principale de la place eurent un effet bénéfique. Le temps de traverser le village, il se sentit mieux. Puis la noirceur revint de nouveau et devant lui, il n'y eut plus que le reflet de la lumière de sa moto trouant la nuit et dessinant des ombres étranges sur le bord de la route. Un défilé de formes dangereusement uniformes et fantomatiques qui se précipitaient vers lui, l'isolant de plus en plus dans une sorte de rêverie éveillée...

Il croisa une auto. Instinctivement, il ralentit. La lumière des phares l'aveugla un moment, et un long frisson lui fit l'effet d'une douche glacée, réveillant son esprit somnolent. Dans quelques minutes, il allait tourner et s'engager sur la longue route entre Saint-Émile d'Auclair et Lots-Renversés. Encore trente minutes et il serait dans son lit. L'envie d'y être tout de suite s'imposa dans son esprit dès qu'il se retrouva sur un long bout de route tout droit. La fraîcheur des draps, la douceur de l'oreiller. Dormir... Il aurait vendu son âme au diable pour avoir le droit de fermer les yeux et ne plus être obligé de se forcer afin de les tenir ouverts. Puis il secoua la tête, conscient de l'effort que cela lui demandait et il s'efforça de penser à autre chose. Tout, n'importe quoi pour oublier qu'il s'endormait... Alors, mentalement, il imagina la route qu'il lui restait à faire, le regard droit devant. Le regard un peu trop fixe, rendu flou, presque obsédé par les ombres dansantes qui surgissaient du bas-côté de la route, un peu comme lorsque l'on roule dans une tempête de neige et que les flocons denses nous emportent malgré nous dans une drôle de spirale. Mais qu'importe. Cette route, il la connaissait par cœur. Les bouts droits, les courbes et le mur de roc dont il avait dit à Victor de se méfier. Il y serait dans quelques instants. Après, ce serait un jeu d'enfant jusque chez lui.

Brusquement, les phares d'une autre auto déchirèrent la noirceur de la nuit. Deux longues stries brillantes valsèrent devant le regard de Gilles, l'aveuglant de nouveau pendant un instant. Mais cela eut l'heureux effet de le secouer et de faire mourir les ombres fantasmagoriques qui l'accompagnaient. Tant mieux... Il battit des paupières et, par prudence, ralentit encore l'allure. Il ne devait pas rouler à plus de cinquante à l'heure. Lui qui aimait la vitesse! Mais tant pis. L'important, c'était d'arriver à bon port. Chaque tour de roues le rapprochait de son lit et il devait orienter le peu de concentration qui lui restait là-dessus. Il se devait de polariser toutes ses énergies et son attention sur le chemin qui défilait sous les roues de sa moto et tout irait bien. De nouveau, la route avait repris sa dimension normale et les ombres folles de tout à l'heure avaient disparu. Il devinait le fossé qui filait à côté de lui et voyait, illuminés par la lune, les champs et les pâturages qui s'étendaient au-delà.

L'idée de s'arrêter quelques instants sur le bord du chemin lui traversa curieusement l'esprit. Aussitôt, il haussa mentalement les épaules. Ce n'était pas la première fois qu'il était fatigué quand il revenait à la maison. C'était même plutôt monnaie courante. Et jamais il ne s'était arrêté. Alors...

C'est à cet instant qu'une drôle de forme noire sur le bas-côté de la route, un peu plus loin devant lui, massive et immobile, attira son attention. Probablement une marmotte ou une mouffette. Les jeunes bébés de l'année s'aventuraient souvent près des routes à cette période de l'été. Gilles pencha donc la tête au moment où il arriva à la hauteur de l'animal, se méfiant d'un jeune étourdi qui pourrait se précipiter sur le chemin, apeuré par la lumière de sa moto. Et effectivement, c'était bien une marmotte, roulée sur elle-même. Par contre, il poussa un soupir de soulagement en constatant qu'elle était morte...

Est-ce le fait d'avoir penché la tête, de sentir moins distinctement le vent sur son visage, de se détendre parce que l'animal n'était pas une menace? Gilles ne saurait le dire. La seule chose qu'il lui reste de cet instant précis, c'est une incroyable sensation d'inertie, de quiétude. Un relâchement complet, involontaire, de tout son être. Il sentit d'une façon tout à fait consciente que ses paupières se fermaient toutes seules, et pendant une fraction de seconde tout son corps se détendit, comme lorsque l'on plonge avec délices dans l'eau fraîche d'une rivière par jour de canicule et que tout le reste n'a plus la moindre importance. Se laisser aller, ne plus penser, seulement flotter, comme les ombres échevelées de tout à l'heure flottaient devant ses yeux fatigués, dans un plaisir absolu, envahissant... Et y répondre d'une inspiration très profonde qui rejoint et alimente chaque fibre du corps, suivie d'un autre qui se prépare instinctivement. Puis un brusque déclic en soi, un soubresaut du corps et de l'esprit avec un cœur qui brusquement bat à tout rompre. Surtout ne pas dormir... L'instinct et l'habitude d'une route qui dictent qu'il ne faut surtout pas dormir, pas maintenant, pas ici. Gilles leva brusquement la tête, agrippa le guidon de sa moto pour la redresser. Ses yeux s'ouvrirent tout grands, ses pupilles se dilatèrent, l'envie de dormir n'étant plus qu'une lubie, qu'un mauvais, très mauvais souvenir.

Comme dans un film de série B, la courbe maudite et le mur de roc se précipitaient vers lui. Le temps d'un souffle, Gilles vit l'action se dérouler au ralenti. Il eut vraiment l'impression que la course du temps hésitait avant de s'arrêter, irréelle, inadmissible, intolérable. L'impossible qui se matérialisait. Pas lui, pas ici.

Un cœur qui cesse de battre, le souffle qui reste suspendu, les muscles qui se crispent, l'esprit qui flotte au-dessus du corps pendant que les réflexes prennent la relève d'une volonté paralysée par le refus d'une réalité impensable. La sensation d'être à l'extérieur de soi-même, de se voir par les yeux d'un autre comme dans un rêve. La sensation indélébile de voler, d'être entre ciel et terre comme on nage entre deux eaux, gravée à tout jamais dans chacune des fibres de son être.

Une fraction de seconde. L'éternité...

Puis le choc. Brutal, violent quand le corps heurte le roc, rebondit sur le sol. Ce bruit sec de cassure comme un insecte qu'on écrase, immense dans la tiédeur de la nuit et plus loin, cet enfer de métal tordu qui résonne sans fin. Un chuintement, quelques craquements, la sérénade infernale des grillons qui assourdit...

Et tout à coup, un silence feutré, à la fois inquiétant et réconfortant qui s'allonge sur soi, étend son ombre sur la campagne, éloigne enfin les grillons. Enveloppe tiède et fluide qui protège, qui isole, qui emporte l'esprit loin du corps...

Gilles revint à lui comme on émerge d'un profond sommeil. Son esprit vacilla un moment, indécis, son re-

gard s'habitua aux ténèbres, sa tête se releva machinalement et il aperçut sa moto, gisant à quelques pieds de lui.
Curieusement, la fermeture de sa veste de cuir était ouverte et son casque aussi s'était détaché et gisait à côté de
lui. Alors, inflexible, irrévocable, la vérité éclata dans
chacun des recoins de son cerveau hébété, de son corps
insensible. L'impensable devenu réalité... La mémoire lui
revint avec une clarté impitoyable, balayant d'un revers
de la main tout ce qui avait été sa vie jusqu'à ce jour. Il y
eut une marmotte sur le bord du chemin puis un instant
d'engourdissement bienfaisant. Puis il y eut cette seconde
sans substance qui s'étirait à n'en plus finir où il s'était
senti flotter. Ce vol plané à l'extérieur de soi entremêlé à
tous ces bruits qui s'étaient appropriés la moindre parcelle de sa volonté. Les grillons, surtout, qui avaient envahi sa tête jusqu'à le rendre fou. Et ensuite le silence. Le
merveilleux silence qui emporte loin de tout...

Gilles laissa retomber sa tête sur le sol et resta immobile un moment, épiant les moindres bruits autour de lui.
Curieusement, les insectes s'étaient envolés. Ne restaient
que quelques grenouilles qui chantaient une sérénade
sans conviction. La lune s'était déplacée, les étoiles au-
dessus de lui semblaient moins brillantes. Il tourna de
nouveau la tête. Sa moto, roues en l'air, semblait dislo-
quée, ridicule dans cette position. Il eut un sourire amer.
Cette belle moto dont il était si fier...

Il regarda autour de lui. Après le choc contre le roc,
son corps avait roulé au fond d'un fossé profond. Il leva
les yeux. Oui, le fossé était profond, au moins douze
pieds... De le constater réveilla enfin sa lucidité. Il fallait
qu'il sorte de là, sinon personne ne le verrait. À la lucidité

froide de sa pensée se greffa l'urgence d'agir à l'instant précis où il prit conscience qu'il ne sentait plus ses jambes. Elles devaient être engourdies par le choc. L'envie de s'asseoir s'imposa aussitôt comme une obligation. Il lui fallait se relever et s'asseoir pour réveiller la vie dans ses jambes et arriver à penser clairement. Ce n'était pas une vague idée que l'on pourrait rejeter avec désinvolture si cela ne réussissait pas. Non. Brusquement, c'était sa raison même d'exister, aussi vitale que le fait de respirer. Arriver à s'asseoir, coûte que coûte, et le reste suivrait... S'appuyant sur les coudes et jouant des muscles de ses épaules, Gilles tenta de se redresser.

La douleur s'imposa brutalement, sans crier gare, envahissant tout son corps d'une vague brûlante, emportant dans son remous volonté et conscience. Pendant quelques secondes, il resta à l'affût du moindre signe de son corps, retenant son souffle, évitant le moindre geste, épiant cette souffrance qui venait de s'imposer, indésirable. Une intruse dans sa vie. L'instinct de survie prit alors la relève.

Le silence ouateux de tout à l'heure revint aussitôt le ravir à une souffrance qu'il n'aurait pu tolérer très longtemps.

Et Gilles glissa de nouveau dans un gouffre noir et profond, l'esprit jugeant qu'il n'avait aucune raison valable d'insister... Surtout s'il voulait s'en sortir. Parce qu'il voulait s'en sortir. Tout son être avait le besoin impérieux de ce répit...

Quand il émergea de ce curieux silence pour la seconde fois, Gilles n'aurait pu dire le temps écoulé. Par contre, ce sommeil qui n'en était pas un lui avait fait du bien. Il sentait son esprit plus clair, capable de décisions.

Ne restait qu'à savoir si le corps saurait suivre...

Mais son champ d'action était limité.

Pour la cinquième fois peut-être, il regarda consciencieusement autour de lui, essayant le plus lucidement possible de faire l'inventaire des possibilités, obligeant la douleur sourde qui battait les pulsations de tout son corps à se faire moins envahissante. Il lui fallait penser. Il lui fallait décider. Il lui fallait agir s'il voulait survivre. Rien d'autre n'avait d'importance pour l'instant. Seule l'obligation de sortir de ce trou guidait sa pensée...

Son regard se heurta sur son casque. Il s'y attarda un bref instant, surpris de le voir là. Puis il s'aperçut que ses gants n'étaient plus sur ses mains. Et cette veste ouverte alors qu'il se rappelait fort bien l'avoir fermée jusqu'au cou... Machinalement, il glissa la main à l'intérieur de son manteau. Même les gants de Manon n'étaient plus dans la poche de poitrine où il les avait mis. Le choc avait dû être terrible... Un élancement dans le dos plus violent encore lui arracha une grimace et un frisson. Oui, le choc avait été terrible...

Il avait besoin d'aide, il fallait qu'on le trouve.

Au même instant, comme en réponse à ses aspirations les plus primaires, une auto passa sur la route, éclairant le haut du fossé. Pendant une fraction de seconde le cœur de Gilles cessa de battre, l'espoir prenant le peu de place laissée vacante par la douleur qui devenait à chaque seconde plus difficile à supporter. Le temps d'un flash photographique, le reflet en négatif des longues herbes bordant la route s'imprimant sur l'écran de sa pensée, à peine le temps de prendre conscience d'une présence que déjà le bruit des roues sur la chaussée s'évanouissait, emportant l'espoir avec lui.

Personne ne le verrait. Personne ne pourrait se douter que...

La déception se transforma en panique.

Oh! Pas longtemps! Juste l'espace d'un soupir, d'une inspiration profonde. Puis l'instinct prit le dessus. Ne pas se laisser aller. Surtout, ne pas abandonner. Se battre jusqu'au bout et vaincre... Rester en contrôle... Penser, réfléchir, trouver. Il lui fallait trouver...

Son regard revint machinalement sur son casque, un sursaut fébrile fit débattre son cœur. S'il arrivait à lancer son casque de moto sur le bord de la route, peut-être bien que cela suffirait. Sûrement que cela suffirait à attirer l'attention. Le plastique moulé luirait dans l'éclat des phares...

Serrant les dents pour compenser la souffrance qui lui vrillait le bas du dos, Gilles arriva à se soulever sur un coude. D'une main tremblante qu'il aurait voulue tellement plus forte, il s'empara du casque. L'effort lui coupa le souffle. Il prit le temps d'inspirer profondément, raffermit sa prise et, se détournant à demi, il tenta de le lancer le plus loin qu'il put. Le casque virevolta un moment contre l'éclat bleuté de la lune, porteur de tout l'espoir du monde, avant de retomber lourdement sur le talus et de rouler hors de vue, grotesque ballon inutile. Gilles se laissa retomber contre le sol, épuisé.

Il ferma les yeux, espérant que la douceur feutrée reviendrait le ravir à ce cauchemar. Mais cette fois-ci le charme n'opéra pas. La douleur se faisait sourde, difficile, à la limite du tolérable. Gilles comprit qu'il ne perdrait plus conscience et qu'il lui faudrait apprivoiser cette douleur. Il n'avait pas le choix, sinon il mourrait, il en était convaincu. Toutes les fibres de son être le lui criaient à travers les élancements atroces qui traversaient son corps.

Pendant un long moment, il resta couché sur le dos, le temps de se reprendre en mains. C'est un craquement lugubre, venant du bois qui bordait le fossé, qui lui fit ouvrir les yeux. Encore une fois, un vent de panique balaya son esprit. N'avait-on pas parlé de lynx rôdant dans la région ? Il resta immobile, épiant le moindre bruit. Duperie de l'esprit, hallucination ? Brusquement, il lui sembla que des tas de froissements et de frottements lui parvenaient du boisé, agaçant son imagination, suscitant des suppositions aussi révélatrices et inquiétantes que des images réelles, que des faits irrévocables. Un long frisson de peur lui fit dessiner une grimace. Le moindre mouvement réveillait l'élancement dans son dos. Mais ce fut suffisant pour secouer sa lucidité et la durcir à faire reculer le mal. De vive qu'elle était, sa douleur devint diffuse. Non, il n'abandonnerait pas. Jamais. C'était un gagnant, Gilles. Même ici, même devant l'évidence d'une réalité plus forte que lui, la vie devrait se plier à sa volonté. Il devait réagir. Il ne mourrait pas dans ce trou. Il ne servirait pas de pâture aux animaux sauvages. Coûte que coûte, il allait s'en sortir. N'importe comment, à s'en arracher le cœur, au-delà de toutes les souffrances que son corps lui ferait endurer, mais il allait s'en sortir.

Il allait vivre...

Une autre auto passa, faisant aussitôt disparaître les chimères engendrées par la nuit. Tous les bruits suspects moururent avec le grondement du moteur qui s'éloignait. De nouveau, bref éclat de lumière sur le haut du fossé, longues herbes balayées par la friction de l'air, profonde noirceur que la lune amenuisait peu à peu. Puis le silence pendant qu'il reconnaissait les contours du paysage autour de lui. Comme une familiarité des choses qui le réconforta, qui permit le calme et la pensée logique...

Et, encore une fois, un soubresaut de la pensée. Si le reflet des phares d'une auto arrivait à faire reculer la nuit, peut-être bien que la lumière de sa moto saurait attirer l'attention...

Cette moto qui gisait à quelques pieds seulement... Sur le dos, en s'aidant de ses jambes et de ses bras, sûrement qu'il pourrait parvenir jusque là. C'était sûrement faisable, elle n'était qu'à six pieds.

En voulant se redresser, Gilles comprit de façon irrévocable que ses jambes ne répondaient plus. Inertes, insensibles, elles n'étaient autre chose que le prolongement inutile d'une douleur de plus en plus grande dans le bas de son dos. Comme si son corps arrêtait à la hauteur des reins. Après, plus rien... Mais son esprit fit ce qu'il avait à faire. Il occulta toute l'horreur de cette constatation pour ne garder que l'instinct d'agir. On verrait aux jambes plus tard. Quelqu'un s'en occuperait. L'important, était d'attirer l'attention pour sortir du trou. Après, immanquablement, il y aurait des solutions.

Il y a toujours des solutions à tout...

Le visage crispé par l'effort, maîtrisant la douleur du mieux qu'il le pouvait, Gilles réussit à se traîner jusqu'à sa moto. Quand il s'aperçut que les clés étaient toujours en place, son cœur se mit encore une fois à battre la chamade d'un espoir insensé. Un espoir plus grand que le monde auquel il s'accrocha avec toute l'énergie dont il était capable. Il tendit une main tremblante, ses doigts étaient fébriles, malhabiles...

Son bras retomba. Gilles était complètement exténué. Plus rien ne fonctionnait sur son bolide disloqué. Alors, pour la clarté, il devrait attendre le jour. Et encore faudrait-il que quelqu'un le vît...

Sa tête roula sur le côté. Il était en sueur, il avait mal, la fatigue revenait par vagues lancinantes, ondulant au rythme de la douleur qui s'était emparée de lui et qui maintenant ne le lâchait plus. De la lune, il ne voyait maintenant qu'un pâle reflet ourlé de nuages diaphanes, bordant les herbes sur le haut du fossé. Les étoiles étaient de plus en plus éteintes. La nuit poursuivait donc inexorablement son cours. Pourquoi avait-il cru qu'il avait un quelconque pouvoir sur elle ? Sa moto l'avait laissé tomber, son casque aussi et la noirceur de la nuit se faisait leur complice.

La vie l'avait abandonné, laissé pour compte au fond d'un pitoyable fossé qui lui semblait en cet instant aussi haut et difficile à vaincre que l'Everest. Alors son unique espoir se devait de passer par lui. Et lui seul...

S'il avait été capable de ramper jusqu'à sa moto, il allait le faire jusqu'en haut du ravin. Ses jambes n'étaient peut-être d'aucun secours pour l'instant, mais Gilles était un gars de ferme. Un gars habitué de se servir de ses bras, de ses épaules. Il allait s'arracher à cette prison à la seule force de ses bras.

C'était sans compter que la masse passive et lourde de ses jambes le ramenait vers le bas à chaque pied qu'il gagnait sur la pente abrupte du fossé. Après un temps d'efforts insensés qui lui parut aussi long que l'éternité, Gilles abandonna l'idée. Jamais il n'arriverait à se hisser jusqu'à la route sans l'aide de ses jambes. Par contre, il avait quand même changé de place et d'où il était, il pouvait apercevoir les lumières d'une maison, vers l'est, à l'autre bout d'un champ immense.

Ce fut comme un phare dans sa nuit.

S'il arrivait à voir la maison, quelqu'un finirait bien par prendre conscience de sa présence.

La détente fut à ce moment presque totale, car en lui venait de se rallumer la lueur d'un espoir infime.

Et brusquement, comme apaisé, Gilles eut l'impression de revenir dans le temps. Il était encore sur sa moto et le sommeil gagnait de plus en plus sur sa volonté. Tout était parti de là et finalement, tout y revenait. Une lourdeur sans nom s'empara de lui. Son esprit flottait, sa pensée s'évaporait dans une envie irrésistible de sommeil. Il arriva à se caler contre un renflement du sol, ses paupières étaient de plomb, la douleur se faisant même vague complice de son besoin de dormir. L'élancement brûlant était toujours là ; c'était donc signe qu'il était toujours vivant. Alors, pour l'instant, il valait mieux dormir... Il lui fallait récupérer des forces. Après, tout reprendrait sa place.

Et peut-être bien qu'au grand jour, sous le soleil et avec les oiseaux qui remplaceraient les criquets et tous les bruits inquiétants de la nuit, tout cela ne serait plus qu'un cauchemar.

Il y croyait. Il se devait d'y croire...

À cette pensée, le jeune homme sombra d'un seul coup dans un sommeil hachuré de soubresauts...

La douleur omniprésente, un crachin glacial et envahissant, l'inconfort d'un sol rocailleux lui firent ouvrir les yeux. Par réflexe, Gilles tenta de s'étirer, mais une lame d'acier chauffé à blanc transperçant ses reins lui fit avorter le geste. Il resta sans bouger, épiant autant la nuit qui étendait toujours sa noirceur au-dessus de lui que les réflexes de ce corps qui n'était plus qu'une incroyable souffrance.

Au loin, les lumières de la maison le rattachaient toujours au monde des vivants, nouant l'infime espoir qui persistait en lui à l'horreur du cauchemar qui semblait s'installer en permanence dans sa vie.

Puis un bruit familier sembla se préciser dans l'écho du silence. Une auto venait. Rassemblant toutes ses forces, Gilles se mit à crier pour attirer l'attention.

Mais sa voix qui lui semblait immense dans la nuit feutrée n'était qu'un pâle filet qui mourut avec le roulement des pneus sur la chaussée.

Gilles referma les yeux, résigné. Il avait froid, il frissonnait, ses doigts étaient gourds, sa pensée hésitante. En tâtonnant, il tenta de refermer sa veste. Il n'y parvint pas, ses mains gelées refusant de lui répondre. De longs frissons convulsifs s'ancrèrent donc à son mal pour ne plus faire qu'un. Il serra les dents et obligea sa respiration à se faire superficielle. C'était légèrement plus supportable comme ça.

Alors, il roula la tête sur ses épaules et se nicha le mieux qu'il put contre le sol.

La pluie venait de cesser. Un oiseau nocturne lança un ululement lointain à la fois rassurant et inquiétant. C'était tout de même une présence, et Gilles y puisa un certain réconfort. Puis son esprit vacilla de nouveau.

Dormir... Ne plus penser, ne plus souffrir, ne plus espérer en vain. Seulement dormir...

Quelqu'un finirait bien par s'apercevoir de son

absence. Ses parents, son oncle Benoit, Manon...

Il s'endormit tout d'un coup, le nom de sa blonde s'en-
roulant aux premières vagues de sommeil...

Il vivait à cent milles à l'heure et les gaz avaient
brusquement été coupés. Il voulait vivre toute sa vie à cent
à l'heure, mais le destin en avait décidé autrement.
Pourquoi? On ne le saura jamais. Mais, bien sincèrement,
est-ce si important de le savoir? Pourquoi vouloir à tout
prix imaginer ce qui aurait pu être alors qu'il est surtout
essentiel de mordre pleinement dans ce qui est? Que sont
les événements dans une vie sinon ce qu'il en reste après?
Les faits, les gestes sont ponctuels, souvent indépendants
de notre volonté. C'est ce que nous en faisons par la suite
qui est déterminant. Mais à dix-neuf ans, nous ne com-
prenons pas. En quelques secondes, Gilles avait eu le
pressentiment qu'il venait de perdre tout contrôle sur sa
vie. Rien d'autre n'avait d'importance. Tout au long des
heures interminables de cette nuit trop longue, ce
pressentiment s'était métamorphosé en certitude. Le
cauchemar devenait réalité. Il y avait eu l'hébétude, la
peur, la douleur, l'incompréhension, le refus. Plus tard, il
y aurait la rage. Mais, cette nuit-là, ne restait que l'envie
de vivre à l'état brut, dissociée de toute autre considéra-
tion. Un réflexe, probablement. Quels que soient les
drames qui traversent notre vie, ne gardent leur destinée
en mains que ceux qui le veulent bien. Mais à ce moment,
gisant au fond d'un fossé profond, se débattant avec sa
peur et la douleur, Gilles ne pouvait le voir...

Il n'avait que dix-neuf ans, des projets plein la tête et
un été qui était si beau. Il y avait Manon et sa moto. Il y
avait cette longue randonnée pour la fin de semaine sui-

vante avec les siens. Alors ne restait que l'essentiel qui lui avait dicté d'agripper les broussailles pour atteindre le bord du chemin. S'il y arrivait, tout le reste reprendrait sa place. Ce n'était qu'un cauchemar. Rien de plus. Il allait se réveiller, reprendre là où la vie s'était brisée. Un jour, il serait pilote d'avion, l'idée se précisait de plus en plus. Il n'avait qu'à le vouloir, c'était tellement évident. Exactement comme ils en avaient parlé, Robert et lui. Comme son père le croyait possible. Il avait dix-neuf ans, il était un homme, et les hommes font ce qu'ils veulent dans la vie. Il possédait tout, il voulait tout, il aurait tout. Gilles ne connaissait ni les demi-mesures ni les dangers. Il était en contrôle absolu de sa vie qui filait droit devant comme la route défilait sous les roues de sa moto. Vite, toujours plus vite. Loin, toujours plus loin. Il aimait les risques et la vitesse. Il aimait cette sensation grisante de se sentir le maître inconditionnel. D'une moto ou d'une vie, où donc était la différence ? Bien sûr, il négociait serré les virages qui se présentaient devant lui. À la limite du risque, à la limite du raisonnable. C'était dans sa nature. Et il en sortait gagnant. Toujours. Pourquoi en aurait-il été autrement cette nuit-là ? Personne n'aurait pu l'arrêter. Et pourquoi l'auraient-ils fait ?

N'était-il pas en contrôle ?

Il n'avait que dix-neuf ans.

* * *

Quand Benoit s'éveilla, vers six heures trente, la première chose qu'il remarqua fut le silence inhabituel qui régnait dans la maison. Christian dormait toujours et probablement que Gilles aussi. Il s'étira longuement, un sourire narquois au coin des lèvres. Quand il disait que le jeune homme avait l'air fatigué... En bâillant, il se tourna sur le côté.

Le soleil glissait quelques rayons audacieux entre les lames des persiennes et dessinait de drôles de stries sur le couvre-lit. Il s'en amusa un moment, permettant ainsi à son esprit de quitter définitivement le monde du sommeil qui persistait toujours un moment au réveil, puis il se leva doucement pour ne pas déranger Lisette qui dormait encore profondément.

Il se glissa alors furtivement hors de la chambre...

La cuisine était toujours plongée dans l'ombre, la porte moustiquaire donnant sur la galerie encore fermée. Ce matin, c'était donc lui qui ferait le café.

Après, et seulement après, il irait réveiller Gilles. Quelques minutes supplémentaires de sommeil ne lui feraient sûrement pas de tort.

Quand il entra dans la chambre de son neveu, Benoit ne put retenir un soupir d'impatience. Le jeune homme n'était pas entré coucher bien qu'il sût fort bien que Benoit avait horreur de cela. Puis par une habile pirouette de réflexion, il pensa que la fatigue avait enfin eu raison de lui et que Gilles avait finalement décidé de coucher chez Manon.

Pour une fois, il s'était probablement montré raisonnable...

À moins que...

Benoit haussa les épaules. Surtout ne pas échafauder des suppositions qui ne s'avéreraient que des chimères.

Il obligea donc sa pensée à s'arrêter sur le fait que Gilles avait passé la nuit chez Manon malgré les interdits.

Ils en reparleraient plus tard... L'idéal aurait été que le jeune eût écouté Benoit et ainsi, personne ne se serait inquiété inutilement. Parce que, bien ancrée au fond du cœur de Benoit, une lueur d'inquiétude restait en veilleuse.

Il revint à la cuisine pour se prendre un café. Et, sans vraiment y réfléchir, il se glissa sur la galerie et s'installa dans le fauteuil où Gilles prenait son café tous les matins. Le soleil chauffait déjà, quelques animaux appelaient, la brume engendrée par la brève pluie nocturne s'effilochait au-dessus des pâturages. Benoit poussa un profond soupir de contentement teinté d'une pointe de tendresse. Le jeune avait effectivement raison : la clarté du petit jour avait des reflets qui donnaient des ailes...

Puis il songea à la journée qui venait, s'obligeant à oublier Gilles. Dans le fond, et l'expérience l'aidait à voir les choses en ce sens, il s'en faisait toujours pour rien. Il allait voir Gilles revenir dans moins d'une heure, penaud et contrit...

* * *

C'est l'entêtement d'un rayon de soleil agaçant qui tira Gilles de sa somnolence. Le paysage avait maintenant une apparence plus normale, rassurante et les inquiétudes de la nuit enroulées aux brumes qu'il voyait à travers les herbes du champ, plus haut, commençaient déjà à filer vers l'horizon.

Ne restait que cette incroyable douleur pour lui rappeler l'horreur des dernières heures. Et ses jambes toujours prisonnières de ce carcan d'acier...

Il se leva sur un coude, en grimaçant, s'aperçut finalement qu'il était encore loin du haut du ravin. Il se laissa retomber en soupirant et une immense lassitude remplaça toute pensée cohérente. Il avait toujours froid. L'immobilité de son sommeil l'avait ankylosé, le bas de son dos lui faisait l'effet d'une plaie béante.

En un éclair de lucidité, il se dit qu'à cette heure-ci, son oncle Benoit devait être sur le point de se lever.

Gilles s'accrocha à cette idée comme un naufragé à sa bouée.

Benoit prendrait sûrement conscience de son absence assez rapidement. Et immanquablement, parce que Gilles n'avait jamais découché sans prévenir, il s'inquiéterait. Il contacterait peut-être Manon qui confirmerait son départ, la veille au soir, ou encore il appellerait directement des secours et il se mettrait à sa recherche.

Et s'ils se donnaient la peine de le chercher, ils finiraient par le trouver. Ils connaissaient la route qu'il prenait habituellement pour revenir à la ferme. Toujours la même. Alors ils scruteraient les boisés à la loupe et ils ratisseraient les ravins. C'était certain. Et ils le trouveraient...

L'attente allait bientôt cesser.

L'attente et la douleur.

Ce n'était plus qu'une question de temps. Chaque minute qui passait le rapprochait de sa libération. Gilles était comme un détenu qui compte, avec l'énergie du désespoir, sur la bonne volonté du juge. Promis, je ferai tout ce que vous voulez, mais laissez-moi sortir de ce trou.

Je vous en supplie, aidez-moi à sortir de ce trou...

Gilles sombra alors dans un état d'assoupissement qui permettait de tenir son mal en laisse. Comme si un nuage posé sur lui isolait sa douleur, son esprit restant à l'affût des moindres bruits, son cœur débattant férocement au moindre signe de vie autour de lui, le ramenant à un état de veille machinal. Il ne respirait plus que par instinct, par réflexe.

Et la ronde folle de l'espoir et de la déception reprit, identique à celle de la nuit. À chaque auto qui passait, et elles étaient de plus en plus nombreuses, Gilles arrivait à lever faiblement le bras. Comme une réaction automatique à chaque signe de vie qui lui parvenait.

Cependant, personne ne le voyait, les herbes hautes bordant la route le camouflant aux regards. Tout comme sa moto au fond du fossé. Ou son casque, finalement tombé tout près de la route.

Puis, tout à coup, un grondement sourd. Plus puissant, plus grave que les autres. Ce fut comme le déchirement strident d'un réveille-matin qui vous tire des brumes du sommeil.

Un camion! Aucun doute, ce devait être un camion qui approchait. Le sol en tremblait presque.

Enfin!

Du haut de la cabine de pilotage, le conducteur devrait l'apercevoir.

Gilles leva le bras, mais cette fois-ci, de façon tout à fait consciente, le maintenant le plus haut possible au-dessus de sa tête, tremblant, serrant les dents sur la douleur, les yeux mi-clos.

Le roulement des pneus approcha, comme tous les autres. Le cœur de Gilles cessa de battre. Un espoir insensé se souda à sa souffrance et ses yeux n'osaient s'ouvrir de peur de...

« Mon Dieu, je Vous en supplie... »

Puis le bras retomba sur une indicible sensation de

soulagement. Le bruit des roues s'était tu.

Mais cette fois-ci, juste à sa hauteur.

D'un seul coup, l'adrénaline chuta, les emportant, lui, son attente et sa souffrance dans une spirale apaisante.

Il y eut des voix, des cris, et Gilles serait prêt à le jurer encore aujourd'hui, ce fut le son le plus agréable qu'il entendit de toute sa vie.

Cela faisait plus de sept heures qu'il les espérait...

On venait de le trouver. On allait le sortir de ce trou maléfique.

Le cauchemar venait de finir.

Et curieusement, tout s'arrêtait là. Brusquement, confortablement. La suite, l'hôpital, les examens, en fait ce qui allait immanquablement venir, ne le concernait pas.

La seule chose qui avait de l'importance, c'était le moment présent et le soulagement indicible qu'il ressentait. Jamais sensation n'avait été aussi enivrante. On allait remonter le fermoir de sa veste pour qu'il puisse enfin se réchauffer, on allait s'occuper de lui. Il pourrait enfin dormir pour de bon, profondément, et au réveil toute cette mascarade serait derrière lui.

Comme un rêve qui s'estompe au grand jour, ne laissant finalement qu'une impression, qu'une sensation bizarre que le temps se chargerait de faire disparaître...

Un homme assez grand, à la voix grave, venait de le rejoindre, lui parlait sans que Gilles ne comprît exactement les mots. Maintenant qu'on l'avait trouvé tout son être n'aspirait qu'au repos. Pourtant, il sentait qu'on attendait de lui qu'il ouvrît les yeux. Un dernier coup de cœur. Montrer qu'il était vivant, qu'il avait tenu le coup et après, il aurait le droit de se reposer... Au prix d'une concentration incroyable, d'un effort violent, le jeune homme arriva à soulever ses paupières. L'ombre d'un homme costaud se profila entre le soleil et Gilles, lui arrachant un frisson convulsif.

— Ma veste, murmura-t-il en refermant les yeux. Remontez le fermoir de ma veste, j'ai froid...

Sa voix n'était qu'un murmure mais ce fut suffisant.

— Hé, Daniel ! Le gars est encore vivant. Vite, ça prend une ambulance. Y'a l'air pas mal amoché...

Alors Gilles sut que la première manche était gagnée. Son esprit bascula. Il sentit qu'on attachait sa veste et une vague de bien-être envahit son corps. Il entendit des pas, des voix, mais il n'arrivait plus à ouvrir les yeux. Il n'avait plus besoin d'ouvrir les yeux. Il pouvait enfin se reposer.

Quelqu'un venait de prendre la relève...

Cela prit plus de quarante-cinq minutes avant que l'ambulance n'arrivât, c'est à peine si Gilles prit conscience du temps. Il entendait tout ce qui se passait autour de lui, mais les bruits, les voix et les questions ne s'adressaient pas à lui. De nouveau, tout comme hier soir au moment de l'impact, il avait l'impression d'être à l'extérieur de lui-même, simple témoin d'événements qui ne le concernaient pas vraiment. Il ne sentait pas l'obligation de réagir. Seulement dormir... Jamais, de toute sa vie, il n'avait eu autant envie de dormir.

Ce fut un murmure à son oreille qui le ramena à la vie. Cette voix... Une voix qu'il reconnaissait, malgré les brumes qui l'entouraient.

— Hé Gilles ! Tu m'entends ? Allons mon vieux, ouvre les yeux...

— Johanne...

De nouveau, un simple filet de voix. De nouveau, ce fut suffisant. Pendant une fraction de seconde, Gilles arriva à tenir ses paupières soulevées. Johanne, une amie, se tenait penchée au-dessus de lui. Et tout d'un coup, Gilles se rappela que les ambulanciers de la région étaient des amis. Vacillement d'une pensée très claire avant de sombrer de nouveau. Johanne et Claude ! C'était à ses yeux une raison suffisante pour se laisser aller dans le confort de ce drôle de sommeil qui le ravissait à sa souffrance. C'étaient des amis ! Ils allaient tout prendre en mains.

— Hé, Claude, amène la planche d'immobilisation, fit aussitôt Johanne quand elle vit Gilles ouvrir les yeux.

Elle leva la tête vers le haut du fossé.

— C'est Gilles Morin et il est vivant.

Sa voix avait une intonation de surprise sincère.

Puis Johanne se repencha sur lui.

— Gilles, réveille-toi, mon vieux. Il ne faut pas dormir. Pas tout de suite...

Et devant l'immobilité du jeune homme.

— Allez, ouvre les yeux. C'est important.

Puis, machinalement, elle regarda autour d'elle, comme elle le faisait chaque fois qu'elle était sur les lieux d'un accident. C'est alors qu'elle aperçut une paire de gants qui gisait au fond du fossé, tout à côté de la moto. Une deuxième paire de gants, en fait, car elle en avait déjà trouvé une en descendant dans le ravin. Elle revint à Gilles.

— Gilles, réveille. Ouvre les yeux, bonté divine... Est-ce que tu étais seul... Allons réponds, bon sang... Est-ce qu'il y avait quelqu'un avec toi ?

« Quelle drôle de question ! » Les mots arrivaient à

joindre Gilles au plus profond de sa léthargie, mais il n'en voyait pas la logique. Pourquoi cette question ? Bien sûr qu'il était seul. Le soir, quand il revenait chez lui, il était toujours seul. Qu'est-ce qui pourrait...

Mais la voix qui le rejoignait était de plus en plus forte, insistante. Fatigante, dérangeante. Alors Gilles sentit distinctement un déclic en lui. Après tout, c'était peut-être important. Pour eux, seulement pour eux. Car pour Gilles, à part la douleur, plus rien n'avait d'importance. Il consentit enfin à ouvrir les yeux de nouveau.

— Oui, murmura-t-il finalement. Oui, j'étais seul.

Puis, alors qu'il allait refermer les yeux :

— Non, Gilles ! Tu ne dois pas dormir...

Encore ! Quelle drôle d'idée ! Que pouvait-il bien faire mis à part dormir ?

On l'attacha sur une planche dure et inconfortable mais qui lui sembla moelleuse après la nuit passée sur le sol. Gilles sentit qu'on le remontait. Il entrouvrit les yeux comme pour graver à jamais l'image du roc et du fossé. Ce mur rocheux dont il avait dit qu'il fallait se méfier... Puis on fit glisser la planche dans l'ambulance et Johanne grimpa à ses côtés, sa voix n'étant qu'une ritournelle agaçante, un vrai moulin qui ne veut plus cesser de tourner.

— Ouvre les yeux, Gilles. Tu ne dois pas dormir.

Et les pensées de Gilles qui s'accrochaient malgré lui à ce rabâchage de mots, toujours les mêmes. Et la ronde de pensées folles, sans suite ni logique, qui s'ensuivirent, qui l'arrachèrent l'espace d'un instant à la douleur atroce que chaque cahot de la route faisait naître au creux de ses reins. Pourquoi ne voulait-on pas le laisser dormir ?

Pourquoi s'entêter à le voir souffrir?

Puis une question plus précise le rejoignit dans son monde intérieur fait de vertige et de souffrance. Quelques mots qui réveillèrent sa pensée. Parents, amie, oncle... Que des mots qui se faufilèrent en lui jusqu'à rejoindre son subconscient, jusqu'à détruire la spirale dans laquelle il s'enfonçait. Oui, il y avait son père, sa mère. Il y avait son oncle Benoit, Manon... Oui, il y avait encore toute sa vie et ceux qui s'y rattachaient. Ne devait-il pas trouver un appartement à Rivière-du-Loup?

— Oui, fit-il enfin en ouvrant les yeux. Il faudrait prévenir mes parents, mon oncle Benoit... Dans mon portefeuille...

Un nid de poule sur la route lui arracha un gémissement, l'interrompant. Puis un autre. Et la voix de Johanne qui poursuivait inlassablement sur sa lancée, qui répétait de ne pas dormir.

«Pas de danger que je dorme. J'ai trop mal. Même si j'ai les yeux fermés, jamais plus je ne dormirai. Jamais plus...»

J'ai tellement mal. J'ai trop mal. Je voudrais mourir pour arrêter d'avoir mal!

Non! Non! Je ne veux pas mourir, je veux juste dormir. Dormir et me réveiller seulement quand tout cela sera fini. Qu'est-ce qu'on va me faire? J'ai peur. Je n'aime pas les hôpitaux mais en même temps j'ai hâte de savoir. C'est sûr qu'ils ne pourront pas me faire plus mal que maintenant. J'ai trop mal. Partout. Mon ventre, mon dos, ma tête, même le bout de mes doigts... Je sais que l'ambulance roule rapidement vers l'hôpital pourtant, j'ai l'impression que ça ne finira jamais.

Je ne veux pas mourir. J'ai peur de mourir. Mais je suis encore en vie. On m'a trouvé. Et l'ambulance m'amène à l'hôpital. Peut-être que là je vais enfin pouvoir dormir. N'importe quoi pour arrêter de souffrir. Je voudrais arrêter de trembler mais je n'y arrive pas. C'est plus fort que moi. Tout mon corps frissonne et chaque mouvement que je fais me fait mal. Même respirer me fait mal.

Manon… Je voudrais que Manon soit là pour me tenir la main. Il me semble que j'aurais moins mal. J'ai peur d'avoir mal jusqu'à la fin de mes jours. Qui va appeler Manon ?

Est-ce qu'on finit par s'habituer à avoir mal ? Je veux dormir. Laissez-moi dormir. Pourquoi toujours non ? Je suis tellement fatigué.

Quand est-ce que ça va finir ?

Et Benoit ? Est-ce qu'on a prévenu mon oncle Benoit ? Il faut le prévenir. Je devais réparer la clôture, ce matin. Qui va réparer la clôture ? Est-ce qu'il va penser à demander à Christian de tenir les poteaux ? Je lui ai promis que ce serait lui qui tiendrait les poteaux. Et je tiens toujours mes promesses…

J'ai la bouche sèche. J'ai soif. Qui veut me donner de l'eau ? Si je buvais, je pourrais encore respirer en surface et ça me ferait moins mal.

Et Johanne qui n'arrête pas de me dire de ne pas dormir. Comment veut-elle que j'arrive à dormir ? J'ai trop mal. Et cette sirène qui s'amuse à me faire sursauter. Faites-la taire ! Taisez-vous tout le monde. Même le bruit me fait mal…

Gilles arriva enfin à l'hôpital de Notre-Dame-du-Lac accompagné du hurlement des sirènes de l'ambulance.

Alors il poussa un soupir de soulagement. Peut-être allait-on enfin lui permettre de dormir parce qu'ici, on devait avoir ce qu'il fallait pour calmer la douleur...

Chapitre 3

Au moment précis où la planche d'immobilisation glissa dans l'ambulance, Gilles eut la certitude que son cauchemar tirait à sa fin. La douleur, l'attente, la peur ne seraient plus qu'un mauvais souvenir avant de disparaître à tout jamais... Comme si le fait d'avoir été enfin trouvé véhiculait quelque chose de magique qui avait en soi le pouvoir d'effacer tout le reste.

Jamais il n'aurait pu imaginer en cet instant, que l'horreur, la vraie, ne faisait que commencer.

On l'avait trouvé. Et après la nuit qu'il venait de vivre, c'était à ses yeux ce qui comptait le plus. Le premier cahot de la route lui fit comprendre qu'il n'en était rien. Au contraire. Peut-être bien que les tensions tant physiques qu'émotives engendrées par l'accident et la nuit, la peur incontrôlable qui l'avait envahi et la constatation d'être incapable d'agir moururent d'un seul coup, à l'instant même où il entendit des voix près de lui. Le soulagement ressenti est encore aujourd'hui indescriptible. Mais le confort de cette chute d'adrénaline fut de courte durée. Toutes les frustrations, les angoisses et chacun des fantômes nés de quelques heures de solitude et de souffrance, d'inquiétude aussi, vécues dans la noirceur et le froid d'une nuit d'été humide furent remplacés aussitôt par une douleur si grande que jamais il ne saura trouver les mots justes pour la décrire.

Sournoisement, tout aussi rapidement que la peur s'envola, la douleur se permit d'envahir les moindres fibres de son corps. Gilles n'était plus qu'une plaie immense, même s'il n'avait, en apparence, que des ecchymoses. La moindre respiration, le mouvement d'un seul doigt engendraient des chocs, des ondes électriques qui le traversaient de part en part, le laissant haletant, meurtri…

Il entendra jusqu'à son dernier souffle la voix de Johanne l'obligeant à rester éveillé.

Le souvenir qu'il en garde est atroce, malgré le passage des années.

Pourtant, lorsqu'il avait entendu la voix des camionneurs, il croyait sincèrement que son enfer prenait fin. Tout allait enfin reprendre la place normale qui était la sienne. Comme dans tout bon film. Il avait frôlé la mort, il avait le corps disloqué, la moto n'était qu'un tas de ferraille, le héros était battu. On pouvait entendre un «hon» de déception dans la salle de projection.

Mais le scénariste avait prévu une fin hollywoodienne.

Immanquablement, la présentation se terminerait sur un gros plan du héros, filant les cheveux dans le vent, sur sa nouvelle moto…

N'est-ce pas comme cela que tous les films finissent?

Gilles oubliait simplement qu'il ne s'agissait pas d'un film. C'était la vraie vie. C'était de sa vie dont il était question.

* * *

Quand la mère de Gilles se glissa derrière le rideau de la salle d'urgence, elle ne put réprimer un soupir de soulagement. On avait parlé de blessures graves, très graves même. Son fils avait l'air de dormir. Pas même une coupure visible. Ce ne devait pas être si pire qu'on le croyait... Elle resta un instant à regarder Gilles, eut envie de le prendre dans ses bras, de lui parler, hésita longuement. Ce faisant, ne risquait-elle pas d'aggraver ses blessures? Alors, sans un mot, elle revint dans le couloir. Tout ce qu'elle espérait, finalement, c'était la présence du médecin qui avait procédé aux examens. Tout ce qu'elle voulait, c'était avoir l'heure juste. Après, elle aviserait. Après, elle irait voir son fils et elle pourrait lui parler.

Il y aurait peut-être enfin quelque chose à dire.

Elle se glissa sur une chaise pour attendre. Que pouvait-elle faire d'autre? Attendre. Dans les hôpitaux, ou on se fait soigner, ou on attend... Curieusement, elle se revoyait, dans ce même hôpital, le jour de la naissance de Gilles. Et toutes ces petites maladies de l'enfance, ces bobos insignifiants qui l'avaient inquiétée pour rien. On s'inquiète souvent pour rien, n'est-ce pas? Pourquoi pas encore aujourd'hui?

Quand elle vit Benoit qui venait à sa rencontre, elle se leva pour l'accueillir, heureuse de la diversion...

En quelques mots, livrés à voix basse, elle résuma le peu qu'elle savait, jetant de fréquents regards inquiets vers la salle où était Gilles de crainte qu'il n'entende. Les jambes avaient subi de bonnes fractures, c'était plus que certain, peut-être le bassin, aussi, et la tête. On ne pouvait savoir comme cela, à première vue... Il ne restait pour l'instant qu'à espérer le médecin qui pourrait en dire plus.

Dès son arrivée à l'hôpital, Gilles avait passé toute une série de radiographies. On attendait les résultats.

Benoit entra dans la cellule d'isolement de la salle d'urgence sur le bout des pieds.

Gilles avait les yeux ouverts, le regard perdu dans le vide, étrangement immobile. Pourtant, il tourna imperceptiblement la tête quand il entendit les pas de son oncle. Et celui-ci connut un bref moment de soulagement. Si Gilles pouvait réagir au moindre bruit comme il venait de le faire, c'était probablement que la tête n'avait rien, n'est-ce pas ? Benoit s'approcha de lui, essayant désespérément de faire un sourire, de faire taire aussi cette voix lancinante qui n'arrêtait pas de lui murmurer à l'oreille que s'il avait insisté, hier soir, rien de tout cela ne serait arrivé. Gilles n'avait surtout pas besoin de sa culpabilité...

— Salut... Alors ? Une cascade de trop ?

Gilles dessina un fragile sourire.

— Ouais... On dirait bien.

Puis, dans un souffle, répondant à un pressentiment urgent en lui, Gilles ajouta aussitôt :

— J'ai mal... J'ai mal à mes jambes et en même temps, j'ai l'impression de ne plus rien sentir...

Benoit crut recevoir un coup dans l'estomac. Que peut-on dire, que peut-on répondre à cela ? Balayant toute autre pensée, le souvenir de ce voisin qui avait eu le bras arraché dans un accident de la ferme lui revint en mémoire, aussi vif que si l'accident venait de se produire. Il lui semblait l'entendre encore hurler qu'il avait mal au bras alors que ce dernier gisait, par terre, à quelques pas de lui... Benoit avala péniblement sa salive. Son regard s'attacha à celui de Gilles. Sous le drap, on voyait les jambes de Gilles. Rien à voir avec son voisin. Alors Benoit se fit violence pour effacer ce mauvais souvenir et choisit de battre en retraite derrière des banalités. Pour lui, pour Gilles. Par réflexe de protection. Répondre par des mots vides, qui peuvent tout dire sans rien dire, parce que Gilles en avait besoin. Des mots qui protègent, justement, qui repoussent l'échéance. De toute façon, ils ne savaient rien pour l'instant.

— Ça doit être normal, non ? Après le choc...

Et contre toute attente, sa voix se faisait forte, rassurante.

— On va attendre le médecin. Ça ne sert à rien de s'en faire tout de suite...

C'était peut-être ce que Gilles espérait entendre. Il poussa un soupir que Benoit s'empressa de prendre pour un soulagement. Pourtant, malgré cela, malgré ces quelques mots qui se voulaient à leur façon un encouragement, il ne put s'empêcher de poser sa main sur le pied de Gilles, le regard vrillé sur le visage du jeune homme. S'il avait des blessures aux jambes, comme on le prétendait, il devrait réagir, n'est-ce pas ? Gilles ne bougea pas. Impulsivement, avec une sorte de rage en lui, Benoit lui serra un orteil, de plus en plus fort... Mais Gilles ne réagissait pas. Pas la moindre grimace, le plus infime mouvement de recul, un simple tressaillement. Il continuait de fixer le plafond comme si son oncle ne le touchait pas...

Alors, sans rien savoir à la médecine, seulement par instinct, cet instinct de cultivateur qui devine souvent les choses de la nature sans qu'on n'ait besoin d'expliquer, Benoit comprit ce que voulaient dire les mots « très grave »...

Quand Gilles referma les yeux, sans avoir ajouté le moindre mot, Benoit se retira dans le couloir. Pour attendre, pour apprivoiser cette lourdeur au cœur qui s'intensifiait pour le moment...

Parce que, depuis quelques instants, la culpabilité lui était revenue avec l'amplitude incontrôlable d'un raz-de-marée et se disputait à cette constatation d'impuissance qui donne envie de serrer les poings et grogner de colère...

— Madame Morin?

Le médecin venait de passer la porte automatique de l'urgence en coup de vent. C'était un homme à l'allure froide, impassible. Il regardait autour de lui et semblait impatient. La mère de Gilles se leva, empressée, fébrile et fit quelques pas dans sa direction. Enfin...

— C'est moi...

Le médecin s'approcha, les deux mains enfoncées dans les poches de sa longue veste blanche. Il avait les traits tirés de qui n'a pas dormi depuis longtemps.

— Je viens de recevoir les résultats des radios... Effectivement, votre fils a des fractures multiples aux jambes comme on a dû vous le dire. Rien de majeur à première vue. Par contre, le bassin aussi est en très mauvais état. Ça, c'est plus inquiétant. Quant au reste...

Le médecin fit un geste évasif de la main.

— ...une ombre indistincte mais éloquente au niveau de la colonne vertébrale laisse...

Des mots, encore des mots. Le médecin semblait réciter une leçon apprise par cœur, déclamée d'une voix indifférente... Mais ils tombaient sur la vie de Francine comme un couperet d'acier.

Son premier réflexe fut de regarder autour d'elle, inquiète. Quand elle remarqua que la porte de la salle où reposait Gilles était grande ouverte, elle eut un geste de recul et s'empressa de la refermer. Comment cet homme pouvait-il parler de la sorte, sans la moindre émotion? Et si Gilles entendait ? Le cœur de Francine battait comme un fou. C'était de son fils qu'on parlait, pas d'un quelconque fait divers... Elle fit un effort conscient pour revenir aux propos du médecin.

— Nous allons le transférer à Québec. Là-bas, ils ont des moyens d'intervention dont on ne dispose pas ici. Par contre, il ne marchera plus, c'est à peu près certain. Cette ombre sur la radio... Et il reste le cerveau. Votre fils doit absolument se soumettre à des examens plus approfondis... L'ambulance est déjà en route... Vous pourrez...

Le reste des paroles du médecin se perdirent dans la brume. « Il ne marchera plus... » Ne restait que cette prédiction qui lui coupait le souffle, douloureuse. Qui faisait aussi mal que les douleurs de l'enfantement. Gilles, c'était son fils, une partie d'elle-même... Le médecin avait déjà tourné les talons, appelé ailleurs. Tant mieux. Francine n'avait plus du tout envie de le voir, plus du tout envie d'entendre cette voix froide, impersonnelle qui tranchait dans la vie d'un autre avec, lui semblait-il, une indifférence qui frisait la désinvolture. Elle sentit le bras de Benoit se glisser autour de ses épaules. La chaleur, la pression de sa main lui firent du bien, la ramenant aux décisions à prendre. Elle verrait à ses émotions plus tard. Pour l'instant, il y avait Gilles. Il n'y avait que lui...

— Je vais à Québec avec lui, s'empressa-t-elle d'affirmer. Tu peux... tu peux prévenir les gens ici ? Charles-Eugène... Je ne sais pas quand... Et il y a Manon, aussi, que tu devrais appeler et...

Francine parlait d'une voix hachurée qui ne lui ressemblait pas du tout, comme si elle avait peur que quelqu'un ne lui coupe la parole, ne lui impose des interdits.

Où donc se cachait la femme maîtresse d'elle-même en tout et en toutes circonstances ? Le bras de Benoit se fit encore plus lourd sur ses épaules.

— T'inquiète de rien. Gilles a besoin de toi pour l'instant et c'est tout ce qui compte. Promets-moi seulement d'appeler dès que tu en sauras un peu plus.

Puis au bout d'une brève hésitation.

— Essaie de ne pas trop t'en faire. Le médecin l'a dit lui-même : ils ne sont pas équipés ici pour faire un diagnostic complet. Vaut mieux attendre encore avant de s'en faire. On traversera la rivière quand on y sera...

Francine leva un regard de gratitude vers son frère. Il avait raison : ils traverseraient la rivière en temps et lieu. Et le premier concerné était Gilles... Elle prit une profonde inspiration, revint vers sa chaise pour prendre son sac à main et, du regard, elle chercha une infirmière. Il n'était surtout pas question qu'on l'éloigne de Gilles. Elle resterait avec lui, dans l'ambulance, jusqu'à Québec...

Malgré la précaution de sa mère qui avait eu le réflexe de refermer la porte, la prédiction du médecin se faufila quand même jusqu'à Gilles. Il entendit clairement la voix détachée qui parlait de lui, de ses jambes, de sa vie... Pourtant, ce fut comme si les mots glissaient sur lui sans l'atteindre. Tout comme durant la nuit dernière quand la douleur se faisait trop vive, l'esprit de Gilles se dispersa, survola la situation et les mots qu'on venait de prononcer sans s'y attarder. Se laisser flotter, dériver dans cette espèce de *no man's land* qui rend la vérité supportable. Plus tard, il aviserait plus tard... Et pour l'instant, parce qu'il en avait un besoin vital, Gilles ne voulait que sombrer dans le sommeil. Dormir...

Cela devait faire maintenant plus de douze heures qu'il rêvait de dormir. Son esprit bascula d'un coup...

Le répit fut de courte durée. À peine le temps de se sentir tomber dans le confort ouaté du repos que Gilles entendit des pas rapides, des voix... Quelqu'un approchait de lui, retirait le drap, glissait quelque chose sous ses jambes. Il comprit qu'on le transférait sur une civière. La douleur ressentie alors au creux des reins lui fit ouvrir les yeux précipitamment. Il avait l'impression que quelqu'un venait de lui enfoncer un couteau dans le dos.

Quand est-ce que qu'on allait enfin lui donner quelque chose pour ne plus avoir mal?

Et la torture reprit là où elle avait cessé, dès que l'ambulance se mit en route. De lancinante mais supportable qu'elle était à l'hôpital, la douleur redevint vive et atroce au moindre cahot de la route. Et cette voix, une autre, qui répétait, monotone, de ne pas dormir. Et cette main qui se permettait même de gifler son visage quand il fermait les yeux.

— Non, Gilles. Il ne faut pas dormir.

Et ces fentes dans la chaussée, ces soubresauts que l'ambulance, lancée à toute allure, s'amusait à reproduire avec exactitude, répétition conforme à chaque nouveau tournant, à la moindre fissure dans la route. Un complot machiavélique qui allait se poursuivre jusqu'à la fin des temps... Et cette soif qui le tenaillait, cette gorge de papier sablé, ce feu qui couvait en lui...

Puis une brève accalmie. La voix de sa mère venait de le retrouver dans le dédale de sa souffrance.

— Pourquoi ne pas le laisser dormir?

Enfin, quelqu'un qui pensait comme lui, qui pensait à

lui! Mais la voix du tortionnaire répliqua, indiscutable, effaçant la moindre parcelle d'espoir :

— Tant qu'on n'a pas procédé aux examens du cerveau, Gilles ne doit surtout pas dormir. Les risques de sombrer dans le coma sont toujours présents, même si avec le temps qui passe, ils sont moindres. C'est pour la même raison qu'on ne peut pas donner d'analgésique... C'est dur, je le sais, mais on n'a pas le choix.

À ces mots, Gilles rendit aussitôt les armes. Il se sentit tomber, comme s'il se dégonflait, tournoyant indéfiniment dans un abîme brûlant. Le cauchemar venait de le retrouver. Il n'était plus le maître. Quelqu'un d'autre, il n'aurait su dire qui, le diable sans doute, avait pris le contrôle de son corps. Ce corps que l'on trimbalait en ambulance sans se soucier de sa souffrance. Il venait de comprendre surtout que ce voyage qu'il n'avait pas prévu resterait à jamais gravé en lui. Dans son esprit, certes, mais aussi dans sa chair...

L'arrivée à l'hôpital de L'Enfant-Jésus, à Québec, fut à l'image de tout le reste. Parfois douloureusement présent, parfois à mi-chemin entre l'éveil et l'inconscience, Gilles fut le témoin impuissant d'une série d'examens, tous plus poussés les uns que les autres. Radiographies, *scanner*... Ne pas bouger, ne pas dormir, quémander une goutte d'eau qu'on lui refusait. Et Manon qui venait d'arriver et qu'il voyait comme derrière une vitre dépolie... Il aurait voulu lui parler, la prendre contre lui tout comme hier soir. Hier... Hier soir seulement, ils faisaient des projets d'avenir, Gilles avait l'impression que c'était dans une autre vie. Manon lui tenait la main et il la sentait trembler. Pourtant c'était comme si elle n'était pas vraiment là et l'ombre floue de sa présence allait et venait telle une vague reflue au rythme de la marée.

Puis brusquement, plus rien.

Une injection, bienheureuse injection, venue le ravir à sa souffrance.

Venue lui ravir deux semaines de sa vie.

On lui apprit, au matin de son réveil — une éternité plus tard qui n'avait duré pour lui que le temps d'un profond sommeil —, on lui apprit qu'il avait dû subir trois interventions chirurgicales. Deux aux jambes et une au bassin.

Il n'en gardera pas le moindre souvenir.

On lui apprit, du même souffle, comme en passant, qu'il ne marcherait plus jamais. Cette ombre découverte lors de la radio de sa colonne vertébrale, c'était irréversible. Le bassin avait été écrasé, les organes à ce niveau-là aussi. Il portait une couche pour parer à son incontinence nouvelle, était connecté à une sonde qui vidait sa vessie et il serait stérile.

On venait de précipiter sa vie dans un nouvel abîme. Le tout déclaré comme une banalité, d'une voix froide et directe. À croire que tous les médecins de la terre apprenaient le détachement en même temps que l'anatomie...

L'homme en veste blanche, que Gilles voyait pour la première fois, conclut en disant que ce serait désormais sa réalité et que le système allait tout mettre en œuvre pour l'aider à se réhabiliter, à devenir autonome...

De cette vérité non plus, il n'aurait pas besoin d'en garder le moindre souvenir pour la comprendre. Elle se souderait à sa vie comme une deuxième peau.

Pourtant, il accueillit d'abord les propos du médecin

avec froideur, s'ajustant au timbre de voix de l'homme en blanc. Ce réflexe en nous qui cherche toujours à nous protéger. Cette merveilleuse faculté de l'esprit qui peut éluder, transformer, maquiller, repousser. Gilles écouta le médecin, entendit les mots, les remisa dans un coin de son esprit pour y revenir petit à petit, tranquillement, à son rythme à lui. N'était-il pas à l'hôpital ? Et quand on vient à l'hôpital, habituellement, c'est pour guérir. Pour l'instant, rien d'autre n'avait d'importance. Le médecin ne le connaissait pas comme lui se connaissait. Il allait se battre et il allait tous les faire mentir. Un jour et une chose à la fois. Ne rien bousculer. À commencer par ses jambes, prises dans le carcan des plâtres et son bassin, transpercé par des tiges d'acier qui l'immobilisaient. Comment espérer bouger pour le moment ?

Gilles avait là une merveilleuse raison pour entretenir l'espoir et remettre à plus tard l'échéance qui se rattachait aux propos du médecin.

Aucun doute pour lui, il remarcherait.

Puis il y eut des visites qui se succédèrent chaque semaine. La famille, les amis... Il y avait beaucoup de gens autour de lui pour le soutenir, l'encourager. Beaucoup de gens qui faisaient la route entre le bas du fleuve et Québec seulement pour lui. Ses parents, son frère, ses sœurs, les copains... Parfois mal à l'aise, souvent enthousiastes... Ils faisaient des projets, ils parlaient réhabilitation. Et Gilles y croyait. Un gars comme lui allait finir par s'en sortir. Et surtout, il y avait Manon. Les amoureux avaient repris la discussion là où ils l'avaient laissée.

Ce projet de vivre à deux, les études, l'avenir ensemble.

— Tant pis si tu ne marches pas tout de suite...

« Pas tout de suite » devint leur mot de passe, celui qui repoussait les échéances, qui permettait quand même le rêve.

Puis un beau dimanche, Benoit vint le voir avec Lisette et Christian. Une visite qui s'annonçait comme toutes les autres mais avec un petit quelque chose en plus. Une visite que Gilles attendait avec impatience. La présence de ce petit diable en culottes courtes lui manquait terriblement.

Ce dimanche-là sa vie bascula encore une fois.

Jamais Gilles n'oubliera le regard de son petit cousin. À quatre ans, un enfant ne sait pas mentir. Ce jour-là, à travers les yeux apeurés et curieux de Christian, Gilles comprit certaines choses. Il dut admettre, une bonne fois pour toutes, que plus rien, plus jamais, ne serait pareil. Le « pas tout de suite » venait de faire un pas de recul. Même si Gilles n'en fut pas vraiment conscient sur le fait.

Blotti dans les bras de son père, Christian le regarda d'abord du coin de l'œil, comme pour évaluer la situation. Gilles lui tendit les bras, tout heureux de le voir. Mais aussitôt, il sentit clairement l'hésitation de Christian. Cette envie que le petit garçon avait de se serrer contre Gilles comme avant et cette retenue qui filtrait à travers son regard. Gilles vit alors dans les yeux de l'enfant le reflet de la peur qui balaie tout. Cette peur que lui aussi avait connue, une certaine nuit, prisonnier d'un fossé. Pour un enfant, les tiges d'acier, les plâtres et les instruments de traction avaient l'air d'objets de torture. Et ce visage amaigri, ce regard que l'enfant ne reconnaissait pas. Ce n'était pas le Gilles qu'il avait connu, pas le Gilles d'avant qui le trimbalait partout avec lui. L'homme qui le regardait n'était qu'un inconnu pour lui qui n'avait rien à voir avec l'homme fort qu'il admirait. Alors Christian enfouit son visage contre l'épaule de son père, réclamant impérativement, la voix enrouée par les pleurs, de quitter la chambre. Il y eut un moment de flottement. Lentement, Gilles laissa retomber ses bras, une douleur dans le regard. Une douleur que Lisette perçut tout de suite. Forçant sa voix, elle imposa adroitement son enthousiasme :

— La route a été longue pour tout le monde. Va chercher une liqueur pour Christian, Benoit. Ça va lui faire du bien. Cet enfant-là est épuisé.

Puis se tournant vers Gilles.

— Mais dis donc, toi ? T'as l'air en bien meilleure forme que la dernière fois que je t'ai vu. Alors, quand est-ce qu'on t'enlève tes plâtres ? On dirait même que t'as engraissé...

Gilles poussa un long soupir et entra dans le jeu, le temps de la visite.

Ce fut ce soir-là, retrouvant le silence de sa chambre et la solitude de ses heures que Gilles pleura comme jamais il n'avait pleuré. Toutes les tensions, les craintes, les espérances les plus folles, les raisonnements les plus logiques se fondirent en un seul et unique sentiment que le souvenir du regard horrifié de Christian lui ramenait impitoyablement. Il venait de perdre. Cette sensation était incontrôlable, se faisait complice indésirable de ses journées. Il sombra alors dans un abattement où seules les larmes qui le menaient au sommeil apportaient un semblant de consolation. Pourquoi continuer d'espérer, pourquoi se battre ? Il n'y aurait pas de Rivière-du-Loup, il n'y aurait pas d'études ni de vie à deux. Gilles était épuisé, vidé. Il n'avait plus de résistance, son corps rompu aux durs travaux de la ferme n'était plus que l'ombre de lui-même et lui faisait cruellement faux bond. Il avait l'impression de n'avoir plus rien auquel se rattacher sinon cet épuisement légitime qu'il se mit à cultiver avec acharnement.

Personne ne vivait ou n'avait vécu ce qu'il était en train de vivre, alors personne ne pouvait le comprendre. Pas plus Manon que les autres. La dureté de ses propos heurtait les encouragements de ses proches. Ils finirent par l'accepter comme tel, ajustant leurs paroles à l'état d'esprit de Gilles. Ce qu'il vivait devait être terrible, n'est-ce pas?

On lui enleva ses plâtres, on retira les tiges d'acier, on l'obligea à s'asseoir, on exigea qu'il se déplace seul en chaise roulante, on lui imposa de s'occuper de plus en plus de lui-même. Gilles fit tout ce qu'on lui demandait. Avait-il le choix? Mais le cœur n'y était pas vraiment, même si certains jours, curieux revirement de l'esprit, il se surprenait, encore et toujours, à espérer.

Puis un bon matin, on parla de réhabilitation. La vraie. Celle qui lui redonnerait ses moyens d'action, sa liberté... On ne pouvait plus rien pour lui à l'hôpital. Ce fut pour Gilles à la fois une cruelle constatation et un espoir insensé. On parlait réhabilitation, c'était donc signe qu'il y avait encore quelque chose à faire. Par contre, au même instant, il s'aperçut, horrifié, que, latent tout au fond de lui, l'espoir de sortir de l'hôpital sur ses deux pieds n'avait jamais cessé d'exister. Une autre illusion envolée...

Il serra les dents sans dire un mot, rassembla son maigre bagage, remercia le personnel de l'hôpital et attendit l'ambulance qui devait l'emmener au Centre François-Charron. Autre déception : il avait vaguement cru qu'il quitterait au moins l'hôpital en transport adapté. Mais il était encore beaucoup trop faible pour cela.

L'été avait cédé le pas à l'automne. Les arbres étaient splendides, le soleil brillait comme seul un soleil de l'été indien sait le faire. Et dire qu'à cette date, il aurait dû être en appartement avec Manon, il aurait dû avoir repris ses études.

Cette pensée ne fit que traverser son esprit.

Et de son transport entre l'hôpital et le Centre, Gilles ne retint que la peur sourde qui grondait en lui. Cette peur de l'inconnu, d'une autre déception, d'entretenir un espoir non fondé.

Cette sensation d'être seul au monde...

Au supplice intense qu'il allait devoir supporter encore pendant des mois se souderait la pire des défaites.

Gilles croyait être sauvé, le pire était à venir.

Au jour le jour, impitoyablement, la vérité qui allait désormais être la sienne s'imposerait de plus en plus clairement. Il avait joué, il avait risqué et il avait perdu. Cette fois-ci, les dés n'avaient pas roulé en sa faveur.

À dix-neuf ans, le simple fait d'avoir à demander de l'aide pour s'asseoir est une défaite. Alors comment interpréter une vie sans jambes fonctionnelles ?

Ça n'arrive qu'aux autres, n'est-ce pas ?

Malheureusement, nous avons tendance à oublier que nous sommes immanquablement l'autre de quelqu'un.

Ce jour-là, cette nuit-là, au détour d'une route, de l'autre côté d'un mur de roc, il avait commencé à être cet autre.

Et d'en prendre conscience, nous précipite aux enfers.

C'est le seul mot qui lui viendra à l'esprit quand il reverra les longs mois d'hospitalisation et ceux encore plus pénibles de réhabilitation.

Six mois...

Six longs mois où il eut la très nette impression d'être un simple numéro parmi tant d'autres. Non pas que la qualité des soins laissait à désirer. Non. On a fait pour le mieux dans les circonstances. Mais il n'était qu'un cas. Rien de plus. Le gars de la chambre xyz, celui qui avait eu l'accident de moto. Pas drôle, il n'a que dix-neuf ans. Le temps de faire une moue de pitié puis on passe à cet accidenté du travail qui a fait une chute de trois étages, dans la chambre d'à côté. Et lui, pauvre homme, il a une famille de quatre enfants... Et que dire de cet enfant fauché par un chauffard qu'on cherche encore ? Il n'a même pas commencé à vivre que déjà, il doit se battre pour la conserver, cette vie...

Et Gilles Morin dans tout ça ? Un patient, un numéro sur un bracelet de plastique au poignet, une chambre avec vue imprenable sur une cour intérieure, une statistique de plus au ministère de la Santé et des Services sociaux...

Et l'envie de crier, latente tout au fond de lui. L'envie de vivre comme avant. L'envie de tout reprendre à zéro...

Avez-vous oublié ? C'était l'automne dehors. Et il y avait toujours la famille et les copains. Il y avait ces projets avec Manon. Gilles ne voulait plus être un numéro. Il n'était pas un cas, un corps qu'on essaie de rafistoler. Il était Gilles Morin. Est-ce que quelqu'un s'en souvenait ?

Et cette certitude, chaque jour plus grande, au fil des mois qui se suivirent, de déranger, d'être de trop. À commencer pour lui-même, dans son propre corps. Qu'est-ce qu'on pouvait faire de jambes qui ne répondent plus ? Ce n'était plus lui, ce n'était plus son corps. Il ne voulait pas de cette carcasse décharnée. Il maigrissait à vue d'œil, il vieillissait à vue d'œil. Il ne se reconnaissait plus.

Sous un autre déguisement, la peur revint. La peur et le refus. Un refus global, vécu en bloc et qui dicte tout. Que lui restait-il d'autre ? Sinon la haine que nous sentons germer à l'intérieur de ce corps dont nous ne voulons plus. Une hostilité que nous dirigeons envers tout et tous. Envers nous-même. Envers la vie. Un sentiment unique qui guette nos réveils et assiste nos sommeils cultivé avec acharnement, à défaut d'autre chose. Une sensation qui devient une façon d'être, cette révolte qui gronde sans répit.

Sans vouloir admettre que nous distillons nous-même le venin qui nous empoisonne.

Il avait dix-neuf ans. Il n'était qu'un enfant qui se croyait tout permis. Comme tous les enfants de la terre. Mais ce n'est pas ainsi que cela se passe. Quand on a des droits, on a aussi les responsabilités qui vont avec. Gilles allait l'apprendre.

La vie venait de le rappeler à l'ordre. Durement.

* * *

Si son transport entre l'hôpital de Notre-Dame et celui de l'Enfant-Jésus restera à jamais marqué par une sensation de torture, celui qui le mènera au Centre François-Charron sera le trajet de la peur. Celui de l'ambivalence. Gilles avait l'impression d'être dans un manège étourdissant, le propulsant au bord de la nausée, le faisant osciller, à son corps défendant, entre l'espoir le plus fou et l'angoisse la plus totale. Et si la réhabilitation échouait ?

Et dans le fond, à bien y penser, y avait-il quelque chose qui devrait fonctionner ?

Il choisit de façon tout à fait délibérée de se dire que oui. On lui avait parlé d'autonomie, de récupération, d'indépendance. Que des mots vagues qui peuvent avoir autant de significations qu'il y a de gens sur terre.

Pour Gilles, ces mots voulaient dire retrouver l'usage de ses jambes. Sans compromis.

Il y croyait. Il fallait qu'il y crût, sinon, plus rien n'aurait de sens à ses yeux. Toutes ces belles promesses ronflantes qui se voulaient un accès à la liberté n'auraient de signification que si elles permettaient un retour à la normale.

Mais là encore, que voulait dire le mot normal ?

Il éluda la réponse d'un revers conscient de la pensée.

Il se retrouva dans une chambre qui ressemblait à celle de l'hôpital. Un préposé lui assigna une chaise roulante, lui communiqua le fonctionnement du Centre.

Ergothérapie, physiothérapie, apprentissage... Pas question de se laisser aller, pas de passe-droit. Un horaire inflexible comme à l'école, des règlements incontournables, à commencer par le fait qu'il devrait dorénavant voir à ses besoins les plus élémentaires tout seul. Manger, se laver, se déplacer...

Et pourquoi pas ? Il fallait bien commencer quelque part, n'est-ce pas ?

Il était ici pour apprendre. Et il n'aurait pas le choix de réussir à l'examen. Comme on le lui mentionna, sa qualité de vie à venir en dépendait.

Qualité de vie... De nouveau, Gilles eut le réflexe de se dire que tout était relatif.

Pour lui, la seule qualité de vie acceptable était de repartir chez lui sur ses deux jambes.

La routine du Centre l'avala tout entier dès le lendemain matin quand on lui apporta son plateau pour déjeuner. Pas question de manger au lit. Et il devrait s'y faire, il lui fallait apprendre à se lever seul...

En quelques jours, Gilles eut l'impression de se retrouver en prison...

* * *

Cela faisait maintenant deux semaines que Gilles vivait au Centre François-Charron. Confronté sans relâche au monde des chaises roulantes et des handicapés de toutes sortes, il avait de plus en plus la sensation de n'être qu'un cas parmi les autres.

Et son esprit refusait de se voir comme tel.

Il s'enferma alors dans une sorte de réclusion, de monde intérieur qui n'appartenait qu'à lui, où il puisait, à travers cette mélancolie qui était devenue la sienne, une espèce de force morale, malsaine certes mais essentielle, qui lui permettait de fonctionner. Du moins en apparence. Il accomplissait les tâches demandées, son corps se pliant à toutes les exigences mais sans fougue.

On voulait qu'il se lave, il se lavait. On lui demandait de pédaler, il pédalait. Il fallait se nourrir, il se nourrissait.

Mais en même temps, blocage volontaire ou non de l'esprit, il refusait de reconnaître ce monde comme le sien.

Pourtant, les intervenantes qui l'accompagnaient chaque jour dans le lent apprentissage de sa nouvelle vie étaient enthousiastes. Le moindre effort, la plus infime réussite étaient salués comme des exploits.

— Hé Gilles! *Wake up*, jeune homme! Il y a un mois à peine, tu étais cloué dans un lit... Regarde-toi aller! Tu vois à tes besoins de base, tu te déplaces seul, tu arrives à faire un peu de bicyclette. Chapeau! Les miracles, ici, c'est chacun pour soi qu'on les réalise. Et toi, tu es en train d'y voir...

Elle s'appelait Isabelle, avait sensiblement le même âge que Gilles et était physiothérapeute. À croire qu'elle était née pour devenir physio... Son sourire était contagieux et petit à petit, Gilles avait senti naître en lui une force nouvelle. À défaut d'autre chose, il voulait lui faire plaisir et chaque après-midi, quand il la rencontrait, il mettait les quelques forces qui lui étaient revenues à forte contribution. Ses progrès étaient lents mais ils étaient réels. Le mot autonomie revenait de plus en plus souvent dans leurs conversations et Gilles, par peur ou par détachement volontaire, évitait de donner un sens précis à ce mot. Il s'y rattachait avec la signification toute personnelle qu'il lui donnait. Pour lui, pas le moindre doute, il allait remarcher malgré ce que les médecins semblaient vouloir croire. Cela serait peut-être long, mais peu importait. Il allait y parvenir.

Les projets échafaudés avec Manon avaient repris un certain sens et, de plus en plus souvent, Gilles se surprenait à élaborer toutes sortes d'hypothèses. Il allait reprendre ses études, il allait se trouver un appartement, il allait avoir un petit travail à temps partiel pour réussir à joindre les deux bouts, il allait... Le «pas tout de suite» précédait toutes les réflexions qui en découlaient.

Et, de jour en jour, l'amitié qui le liait à Isabelle devenait plus grande. Il la voyait un peu comme une sœur,
écoutait religieusement ses conseils, cherchait à se dépasser. S'il y avait quelqu'un qui pouvait l'aider, c'était
bien elle. De toute façon, il n'avait pas le choix : le reste
de sa vie s'accrocherait aux quelques mois qu'il était en
train de vivre. Et le temps passait. Et les progrès s'amar-
raient les uns aux autres. Lents, ardus à réaliser, mais il y
avait tellement de gens qui semblaient y croire que Gilles
aussi se surprit à penser que l'impossible était peut-être
réalisable.

Un jour, il allait remarcher.

Il décupla ses efforts...

Et il y avait Réjean. Un gars de l'Abitibi. Un maniaque
de moto comme lui et qui avait eu un accident qui ressemblait au sien. Les jambes, le bassin, la colonne amochés...
Ils se soutenaient, comparaient l'évolution de leurs progrès, comme une sorte de défi entre eux qui forçait l'enthousiasme et donnait de l'ambition.

Comme avant...

Avoir un but, des projets et chercher à les réaliser. Ici,
maintenant, d'abord pour enfin parvenir à revenir là où la
vie s'était cassée. Réussir ici pour réussir ailleurs après.
Une autre façon de se rattacher à la vie, de lui donner un
sens malgré la chaise roulante qui l'attendait implacable-
ment, jour après jour, pour le ramener à sa chambre après
les exercices...

Gilles se laissait prendre au jeu parce que cela lui faisait du bien. Lentement mais sûrement, son corps reprenait des forces, lui qui avait perdu plus de vingt kilos. Le
haut de son corps, surtout, répondait de mieux en mieux.

Il pouvait recommencer à se fier à ses bras, à ses épaules. Il se disait que le reste suivrait.

Et, comme en réponse à ce nouvel état de choses, il avait de moins en moins envie de vivre en reclus. Gilles avait envie de retrouver une vie sociale. Les copains, la famille commençaient à lui manquer.

Petit à petit, Gilles Morin redevenait lui-même. Il se reconnaissait et rien d'autre n'aurait pu lui faire plus plaisir que cette sensation qui grandissait en lui.

Petit à petit, Gilles Morin reprenait le contrôle de sa vie...

* * *

Ce soir-là, après une séance de bicyclette intense — cette bicyclette électrique qui forçait ses jambes à se mouvoir — où il avait sincèrement cru que ses jambes reprenaient réellement de la vigueur, Gilles se sentait des ailes. Le soir était tombé, on était déjà fin novembre, et la simple idée de manger seul dans sa chambre, le nez devant le mur ou la télé le rebutait. Chaque jour un peu plus, il sentait renaître en lui le goût des autres, le goût de partager. Il prévint donc l'infirmière qu'il prendrait son souper à la cafétéria. Pourquoi se contenter de se nourrir en solitaire alors qu'il avait la possibilité de partager un repas en bonne compagnie? D'autant plus que cela faisait quelques jours que Réjean l'invitait à se joindre à lui...

La salle à manger grouillait de gens et de voix. Dès qu'il l'aperçut, Réjean lui fit un large signe du bras, tout heureux de voir que son compagnon s'était enfin décidé. Gilles, jouant de la chaise et des roues, parvint à le rejoindre.

— Tu parles d'une cohue !

— Ouais... Mais c'est mieux que le silence de ma chambre. J'en peux plus d'être seul.

— Tiens, toi avec...

Quelques mots, mais qui avaient un sens profond pour les deux jeunes. Ils échangèrent un long sourire et pendant quelques instants, ils mangèrent en silence. Gilles se sentait bien. Réjean vivait les mêmes choses que lui à travers les espoirs, les réussites et les reculs. Ils ne parlaient jamais de certitude, ils se contentaient de projection. Ils se contentaient de travailler comme des forcenés pour repousser les limites le plus loin qu'ils le pouvaient. Et pour l'instant, cela suffisait. De l'un comme de l'autre, sans jamais l'avoir prononcé à haute voix, ils savaient l'espoir fou entretenu au fil des exercices. Réjean et Gilles se comprenaient sans avoir à se parler.

C'est un peu à tout cela que Gilles pensait tout en mangeant. Le repas était bon, copieux et il avait faim comme cela faisait longtemps que cela n'était pas arrivé.

Il était heureux, tout simplement, de cette amitié qui avait vu le jour à cause d'un accident bête, sans chercher plus loin.

Il pensait à Isabelle, aussi, à la chance qu'il avait de l'avoir connue.

Toutes ces petites choses belles et bonnes que la vie sème sur notre route même si celle-ci nous semble aride et stérile...

Poussant un profond soupir de contentement, Gilles leva les yeux, s'apprêtant à lancer un défi à Réjean pour la séance de bicyclette du lendemain. En biais, juste de l'autre côté de la table, un gars à peine plus vieux que lui étira un grand sourire à son intention, comme une invitation au dialogue.

Mais Gilles ne vit pas vraiment le sourire. Ni rien du tout d'engageant d'ailleurs.

Il venait de recevoir un direct au cœur qui lui coupa le souffle. Une longue trace de salive teintée de tomate partait des lèvres du jeune homme, glissant, luisante, jusque sur sa poitrine.

Paralysie cérébrale, probablement... Handicapé de naissance ou par accident, comment savoir.

Mais quelle importance ?

Gilles eut la très nette impression de changer de planète d'un seul coup et une vague nausée lui souleva les épaules.

Il repoussa son plateau et lentement, il survola la salle des yeux.

Mais que faisait-il là ? Et à quoi pensait-il, il y a deux secondes ?

Autour de lui, il y avait maintenant des milliers de voix discordantes qui l'empêchaient de se concentrer. Toutes ces voix à peine compréhensibles tant elles étaient déformées, laborieuses. Et ces barbes pleines de nourriture, toutes ces saletés sur les tables, et ces rires qu'il entendait au loin comme une raillerie, et l'éclat métallique de centaines de roues de broche qui semblaient se moquer. De lui, de la vie, de tout.

Qu'est-ce que Gilles Morin avait à voir avec ce monde-là ?

Le mot handicapé éclata en lui comme un feu d'artifice, lui encombrant l'esprit et prenant à ses yeux un sens nouveau. Il avait brusquement l'impression qu'on le pointait du doigt, qu'on riait de lui.

Était-ce là le monde qui serait désormais le sien? Était-ce le comité d'accueil qui lui avait donné rendez-vous ici?

C'est alors qu'une force indépendante de sa volonté lui fit courber l'échine. Son regard heurta durement ses jambes. Il voyait le nœud de ses genoux prolongeant ses cuisses décharnées à travers le tissu de son pantalon de jogging. Ce pantalon qui pendait trop grand autour de ses jambes amaigries. Et ses pieds ridiculement gros au bout de mollets qui avaient fondu, posés de guingois sur l'appui de la chaise roulante. Inutiles, incapables de se replacer droits sans la main pour les aider. Il posa alors cette même main sur une cuisse qui ne sentit rien, comme si elle appartenait à un autre puis lentement, du bout de l'index, il caressa le caoutchouc usé d'une roue de sa chaise de faux cuir noir. Cette chaise sans laquelle il serait réduit à rien... Ce corps qui était le sien, comme divisé en deux parties distinctes et qu'il n'arrivait toujours pas à associer ensemble. Un long frisson lui ramena sa nausée...

Le monde des handicapés...

Gilles releva précipitamment la tête comme pour échapper à un quelconque maléfice. Espérant échapper à cette hantise qui lui faisait débattre le cœur.

Mais la nausée se transforma en violent haut-le-cœur lorsque son regard tomba de nouveau sur le garçon qui lui souriait toujours. Et là, emporté dans le tourbillon de ses émotions folles, il eut la certitude qu'il allait être malade...

Il lui fallait quitter cet endroit.

Agrippant d'une main ferme les roues de sa chaise, Gilles manœuvra pour faire demi-tour. Il entendait bien la voix de Réjean qui cherchait à le rejoindre dans le dédale du vacarme qui embourbait sa tête, mais cette voix-là appartenait à un autre monde. Il n'avait pas besoin de lui répondre. Il aurait été incapable de dire quoi que ce soit.

Parce que ce monde, il refusait toujours de le reconnaître.

En lui, pour l'instant, il n'y avait que cette formidable nausée qui guidait sa volonté et le chaos de milliers de voix inconnues qui se moquaient de lui.

En lui, il n'y avait que l'envie brutale de fuir...

Et c'est ce qu'il fit. C'était une question de survie.

Quand il entra dans sa chambre, celle-ci était plongée dans la pénombre. Seules les lumières de la rue dessinaient le contour des objets, lui permettant de se guider. Mais cela lui sembla amplement suffisant. Il n'avait pas besoin qu'il fît plus clair. Ni dans la pièce, ni dans sa vie.

Brusquement, certaines réalités prenaient un sens tellement évident, tellement lumineux qu'elles se suffisaient à elles-mêmes et lui faisaient peur.

Non, Gilles n'avait surtout pas besoin d'accroître la clarté autour de lui.

En trois tours de roues, il glissa jusqu'à la fenêtre et s'y accouda, s'appliquant à respirer calmement pour éloigner les malaises. Juste au bout du terrain du centre de réhabilitation, le boulevard Hamel déversait son flot habituel de voitures en ce jeudi soir. Les néons du centre commercial éclairaient la chaussée humide de milliers de couleurs contrastantes. Par besoin, l'esprit de Gilles s'y attarda, s'en amusa même, le temps de se reprendre en mains, le temps de reprendre son souffle. Il sentait grandir un puissant appel en lui. Celui de se joindre à la foule qui se pressait, active, occupée. Celui de tout oublier l'espace d'un instant. Oublier l'accident, les exercices, la chaise roulante.

Oublier que désormais il était un handicapé.

Le mot lui redonna un long frisson qu'il tenta d'atténuer en fixant délibérément la pluie qui tombait en bruine serrée depuis le matin.

Puis brusquement il redressa les épaules. Non, ce monde des handicapés n'était pas le sien. Son passage ici n'était qu'une transition vers le monde des bien-portants. Lui, Gilles Morin, il allait remarcher. Isabelle semblait le croire, ses amis l'encourageaient, ses parents le regardaient avec tellement de fierté quand il parlait de ses apprentissages.

Tout doucement, le regard flottant sur la pluie qui tombait, il prit conscience de la douceur que peut avoir une vie banale, sans histoire, toute simple et prévisible d'un jour à l'autre. Pourquoi avait-il fallu cet accident pour comprendre une vérité aussi évidente?

Gilles serra les poings, inspira profondément en se disant qu'un jour, tout cela lui serait rendu... D'une façon ou d'une autre.

Il eut un dernier soupir, une seconde inspiration très profonde qui redressa de nouveau ses épaules et gonfla sa poitrine au moment où il jetait de façon tout à fait consciente un dernier regard sur le monde extérieur. Le monde des bien-portants. Le sien...

Comment ne pas se sentir exclus à vivre ainsi confiné dans cet espace clos où on l'obligeait à se tenir?

Il puisa un incroyable réconfort dans cette dernière pensée.

Bientôt, il allait retrouver son monde à lui, les habitudes qui lui étaient familières, les odeurs où il trouvait ses repères. La famille, les amis, sa maison. Bientôt, il allait retrouver ses raisons de vivre dans un environnement paisible, connu, rassurant.

Et le reste suivrait. Il en était convaincu.

Alors, Gilles fit tourner sa chaise sur elle-même et alla allumer la lumière au-dessus de son lit.

Brusquement, il avait terriblement besoin de clarté autour de lui. Et en lui.

*   *   *

Pourquoi est-ce qu'Isabelle choisit ce même soir pour venir lui parler? Était-ce là une de ces particularités du destin qui décide à notre place? Gilles ne le saura jamais. Sur le fait, il eut la certitude qu'une force maléfique avait décidé de l'expédier en enfer, tellement loin que jamais il ne pourrait en revenir. Avec le recul, il aurait envie de dire que ce fut pour le mieux. Descendre tellement bas au point d'acquérir la certitude, en une fraction de seconde, par instinct de survie, que jamais notre vie ne pourra aller plus bas. Ne reste alors que l'apitoiement sur nous-même ou l'envie brutale de remonter. Ou les deux.

Mais chose certaine, impossible d'en rester là.

Quand elle entra dans la chambre, Isabelle retrouva Gilles encore accoudé à la fenêtre. Les décorations du centre commercial semblaient l'attirer au plus haut point. Tellement qu'il ne l'entendit pas entrer dans la pièce. Elle l'appela à deux reprises avant qu'il ne tournât la tête. Un large sourire illumina alors ses traits tirés.

— Isabelle! Tu parles d'une belle visite, ce soir... Mais qu'est-ce que tu fais ici à cette heure-là?

Cette visite lui faisait plaisir. Il avait envie de parler de tout ce qu'il venait de vivre en quelques heures, envie de partager avec elle cette pulsion nouvelle qu'il sentait en lui. Cette poussée qui allait le propulser en avant, lui permettre de guérir tout à fait.

Mais la jeune femme ne répondit pas tout de suite, se contentant de le fixer un moment, un bref sourire répondant à celui de Gilles. Un drôle de sourire qui n'en était pas un, à la fois triste et doux et qui rejoignit le jeune homme directement au cœur. Sans raison apparente, il comprit que l'instant était important. Grave même...

Sans invitation, Isabelle vint s'asseoir au bout du lit, se concentra un instant sur le pli des couvertures qu'elle lissa d'une main lente. Brusquement, elle leva les yeux vers Gilles.

— Je suis toujours ici le jeudi soir, c'est le jour de notre réunion d'évaluation hebdomadaire. Et...

De nouveau elle semblait hésitante. Puis elle se décida. Tout dire tout de suite, d'un coup, comme on arrache un pansement pour que la douleur soit brève. Intense, oui, mais brève. C'est tout ce qu'elle souhaitait, Isabelle, depuis l'instant où elle était sortie de sa réunion. Ne pas blesser inutilement, ne rien détruire. Ne cessant de se dire que Gilles devait bien s'en douter...

— Voilà, Gilles. Aujourd'hui, ton dossier était au programme de notre réunion. Ça fait déjà quelques mois que tu es avec nous et tes progrès sont remarquables. Nous sommes tous d'accord pour dire que tu as travaillé comme un forcené. Il y a deux mois, c'est à peine si tu arrivais à sortir seul de ton lit, aujourd'hui, tu peux pratiquement tout faire sans aide. Chapeau !

Accoudé contre le rebord de granit tout froid de la fenêtre, Gilles écoutait sans dire un mot. Sans trop savoir pourquoi, il n'osait pas interrompre Isabelle. Son cœur battait très fort, comme s'il anticipait les propos à venir. Pourtant, ce qu'elle venait de dire était plutôt positif. Encourageant, même. À l'entendre parler ainsi, il semblait bien que la réadaptation de Gilles était plutôt rapide. «Spectaculaire», se dit même Gilles, y puisant une bonne dose de fierté. L'espace d'une seconde. Car, tout au fond de lui, il n'arrivait pas vraiment à se réjouir. Peut-être était-ce à cause du ton de la voix d'Isabelle. Trop solennel, trop embarrassé.

— Par contre...

À ces mots, il y eut un déclic dans l'esprit de Gilles, accompagné d'un dernier battement de cœur désordonné et suivi aussitôt d'un grand calme froid. Ces mots, il les attendait. L'intuition qui s'était développée en lui depuis les derniers mois ne s'était pas trompée, il y avait un bémol à ajouter.

— Par contre, il paraît évident, à la lumière des dernières semaines, il paraît presque certain que tu ne remarcheras plus comme avant.

Par le timbre de sa voix, on aurait dit qu'Isabelle s'excusait. Pourtant, une fois encore, ces mots heurtèrent brutalement l'esprit de Gilles sans la moindre réaction visible de sa part. «Quel euphémisme!» Il n'y avait que cette expression qui tournoyait sans cesse dans sa tête sans qu'il ne cherchât à l'arrêter. Le «plus comme avant» rejoignit le «pas tout de suite» qu'il avait entretenu avec Manon et s'imposa en lui comme une mauvaise caricature de la vérité.

Alors Gilles ne répondit pas, un rire cynique mais silencieux lui obstruant la gorge. Isabelle continuait de parler, les mots ne le rejoignaient plus. Au fil des dernières semaines son esprit avait développé cette faculté de survoler propos, gens et événements pour n'y revenir que plus tard. Petit à petit, goutte à goutte, les propos de la jeune fille distillèrent leur venin d'incertitude, de déception. Alors Gilles se mit à trembler. Machinalement, il retira son avant-bras gelé du bord de la fenêtre et se mit à le frotter pour le réchauffer. Pour se réchauffer parce que brusquement, il avait froid à en mourir.

Isabelle s'était levée du lit et s'approchant de lui, elle posa doucement la main sur son épaule. Quand Gilles leva les yeux pour la regarder, c'est le visage du jeune handicapé du souper qui se superposa à celui de la jeune femme avec une telle précision qu'il détourna la tête un instant pour faire disparaître l'image de la longue coulée de bave luisante. Ce fut la voix douce d'Isabelle qui le ramena à la réalité.

— D'ici quelques semaines, tu vas pouvoir retourner chez toi. C'est pas une bonne nouvelle, ça ?

Gilles releva lentement la tête, soutint le regard d'Isabelle, ébaucha l'ombre d'un sourire.

— Bien sûr... Oui, c'est une excellente nouvelle.

Puis il ramena son regard sur la rue. Le terrain de stationnement du centre commercial s'était vidé de toutes ses autos. Les lumières de Noël scintillaient toujours aussi tremblantes sur la chaussée humide. Gilles aussi tremblait toujours et tout doucement son regard s'embua. Il renifla, passa lentement la main sur son visage. Il avait peur, se sentait prisonnier du destin comme le soir de son accident. Et la voix d'Isabelle qui continuait de parler, enthousiaste. Comment pouvait-elle être enthousiaste alors qu'elle venait de le condamner à la chaise roulante ? Vive et précise, l'impression d'être victime d'un complot s'imposa puis disparut aussitôt, remplacée par un vide étourdissant. Alors il demanda d'une voix sourde :

— S'il te plaît, j'aimerais être seul.

— Tu es bien certain de...

Un simple regard du jeune homme suffit à l'interrompre. Oui, Isabelle pouvait comprendre que Gilles avait envie d'être seul. Alors elle se pencha vers lui et du bout des lèvres effleura ses cheveux.

— D'accord. On se revoit demain.

Et elle quitta la chambre silencieusement.

Quand il entendit le bruit feutré de la porte qui se refermait, Gilles poussa un profond soupir, soulagé d'être seul.

Il y a de ces instants dans une vie qui n'ont besoin d'aucun témoin.

Il fit rouler sa chaise jusqu'à son lit et se prépara pour la nuit. Il était épuisé, meurtri comme s'il avait été roué de coups. Il aurait voulu dormir, faire le vide, ne plus penser, mais il savait que le sommeil se refuserait à lui.

Parce que là, maintenant, c'était toute sa vie qu'il devait évaluer différemment.

Parce qu'il était transi de peur. Parce que les questions sans réponse chevauchaient sa déception et que brusquement le nom de Manon n'avait plus tout à fait la même résonance dans son cœur. Le mot handicapé s'imprimait en lettres de feu dans sa pensée. Qui voudrait d'un handicapé comme compagnon ? Le visage du jeune homme croisé au souper venait et repartait sans répit. Et quand il battit des paupières en détournant les yeux pour faire mourir le cauchemar, son regard heurta durement l'éclat métallique des roues de sa chaise. Les traits de son visage se durcirent et il serra les poings de rage.

Pourquoi ? Pourquoi lui ?

Une colère sans nom l'envahit.

Il allait se battre, encore et encore et les faire tous mentir. Médecins, physiothérapeutes, infirmières... Il allait leur faire un pied de nez magistral. Ils allaient voir de quel bois il se chauffait. Tous, sans exception.

Sa colère fondit aussi vite qu'elle s'était levée. Parce que, à côté de son lit, une vulgaire chaise de faux cuir noir se moquait de lui. Sans elle, Gilles Morin n'était plus rien. Ou si peu.

Lorsqu'il finit par s'endormir, aux petites heures du matin, son regard était toujours posé sur la chaise maudite. Et sur son visage, on pouvait voir les traces blanchâtres laissées par les larmes...

J'ai peur de ce qui m'attend. Pourquoi est-ce que je ne sens pas mes jambes ? Elles sont là, attachées à mon corps. Je les vois mais j'ai l'impression qu'elles ne sont pas moi. C'est gênant ce poids mort. Mes jambes sont mortes, inutiles, inertes, lourdes tellement lourdes. Mon corps est divisé en deux parties qui n'ont plus rien à voir l'une avec l'autre. Et je déteste ça.

Est-ce qu'on s'habitue à sentir son corps divisé en deux ?

Le monde des handicapés me fait horreur. Je ne veux pas en faire partie. Je ne veux pas être celui qu'on montre du doigt, celui dont on chuchote dans son dos en se demandant ce qu'il a pu avoir.

Je veux devenir pilote d'avion, je veux aimer Manon comme avant, je veux des enfants un jour. Des petits gars comme Christian... Maintenant, Christian me fuit. Et moi, j'ai bien peur de ne plus être à la hauteur. Comment s'habituer à vivre avec tous ces regards différents, curieux, même dédaigneux parfois qui se posent sur moi? J'ai l'impression que plus personne ne me regarde normalement. Je suis le handicapé. Je suis celui qui n'est plus pareil. Je ne passerai plus jamais inaperçu. J'ai l'impression d'être privé de ma vie comme je suis privé de mes jambes.

Je veux vivre. S'il vous plaît, mon Dieu, laissez-moi vivre.

Il me semble que je ne demande rien de trop. Juste vivre normalement.

Et arrêter de me battre. Je suis fatigué de me battre pour rien. Si je ne peux pas marcher, c'est que je me bats pour rien. Je perds mon temps.

Pourquoi? Qu'est-ce que j'ai fait de si terrible pour mériter ça?

Je ne veux pas d'une chaise roulante comme compagne de vie. Je veux mes jambes. Comme avant. Je veux marcher, je veux courir. Je veux vivre debout.

Je veux partir d'ici, me retrouver chez moi. Je n'ai plus rien à faire ici. Même les murs me semblent hostiles. Mais j'ai peur. Comment reprendre là où j'ai laissé? Le monde extérieur ne s'est pas arrêté de tourner parce que moi j'ai cessé d'en faire partie. Y a-t-il encore une place dehors pour moi? M'a-t-on gardé une place? Et s'il n'y avait rien d'autre que cette maudite chaise? Tourner en rond dans une chaise roulante jusqu'à la fin des temps. C'est un peu ce qu'Isabelle est venue me dire. Condamné à rouler, plus jamais marcher, plus jamais, plus jamais...

J'ai une copine que j'aime mais à qui je ne pourrai plus faire l'amour. J'ai des parents qui vont devoir faire leur deuil d'un fils normal. Où donc pourront-ils trouver de la fierté à mon égard maintenant? Je ne suis plus rien. C'est à peine si je peux sortir seul de mon lit. Je porte des couches comme un bébé. Je pleure souvent comme un bébé. Mais je n'y peux rien. C'est plus fort que moi. Les larmes me montent aux yeux pour des niaiseries. Je déteste ça. Je déteste tout ce qu'est devenue ma vie.

J'ai vingt ans. J'ai juste vingt ans, j'avais plein de projets...

Et j'ai peur du grand vide que je vois devant moi...

Chapitre 4

Tout au long de son séjour à François-Charron, Gilles n'aspirait qu'à revenir chez lui. Les gens, les paysages, les odeurs lui manquaient terriblement.

Être chez lui... Ces quelques mots avaient en soi un pouvoir évocateur, rassurant où il puisait sa force. Ces trois mots étaient presque magiques. Quand il serait chez lui, il irait mieux.

C'était cette perspective de retour qui motivait son enthousiasme malgré la rigueur des exercices de réadaptation. D'autant plus qu'il était soutenu inconditionnellement par tous les siens qui venaient régulièrement le voir. Il avait tellement hâte de renouer avec la vie. Celle qu'il croyait être la sienne.

Dans son esprit, retour à la maison égalait retour à la normale.

La visite d'Isabelle avait tout remis en question.

Brutalement, froidement.

En quelques minutes à peine, à ses yeux, plus rien n'avait de sens. On avait faussé les perspectives de sa destinée.

Bien sûr, le retour à la maison restait le but ultime. Le seul qui était valable, réel et qui redonnait à sa vie une dimension logique, tangible. Mais pourquoi vouloir le renvoyer chez lui tout de suite alors qu'il n'était pas prêt ? On continuait à prendre les décisions à sa place, à faire des choix pour lui et il n'en pouvait plus. Quand allait-on vraiment tenir compte de ce qu'il ressentait ? Car pour lui, c'était une évidence : il n'était pas prêt à reprendre le fil quotidien de sa vie quoi qu'on en dise. Allons donc ! Il y avait toujours cette maudite chaise qui remplaçait ses jambes ; il y avait encore ces couches dont il était affublé comme un bébé ; il y avait ce besoin des autres qui se soudait à chacun de ses désirs ou presque. Et on disait qu'il était prêt ? Il ne comprenait pas et ne cherchait pas à comprendre. Il se sentait trahi, lésé dans ses droits les plus fondamentaux.

De nouveau, il avait peur. Peur de l'inconnu, des autres, de lui-même.

Que peut-on faire d'une vie amputée de ses rêves, de ses espoirs ?

Il avait l'impression d'être dans un tunnel sans issue. Dans un labyrinthe où il était condamné à chercher la sortie indéfiniment.

Il avait hâte de quitter cet endroit parce qu'on y avait tué l'espoir de sa jeunesse, qu'il en avait assez de se sentir un cas parmi les autres et qu'il avait l'impression d'avoir été abandonné ; il avait peur de se retrouver chez lui parce qu'il ne se sentait pas prêt à faire face à sa nouvelle réalité.

Jamais il ne s'était senti aussi seul, aussi fragile, aussi vulnérable. Pas même la nuit de son accident.

Pourtant, il aurait tout simplement fallu qu'il accepte.

Accepter le fait que sa vie serait dorénavant différente. Non pas finie, perdue, détruite comme il s'entêtait à le voir. Non, elle était simplement différente de ce qu'il avait prévu.

Mais à ce moment-là, l'acceptation de ce nouvel état des choses équivalait à baisser les bras. Pour lui, du haut de ses vingt ans, l'acceptation ne pouvait se vivre qu'à travers le renoncement, la passivité, l'immobilisme.

Pour ses vingt ans, accepter voulait dire subir sans réagir. C'était un mot de vieux, de personnes ternes, passives, raisonnables. Il n'avait pas encore l'âge d'être raisonnable. Pas dans le sens où il le percevait.

Et c'était tellement contraire à celui qu'il croyait être.

Il n'avait pas encore compris que l'acceptation dans toute la grandeur du terme, avec ce que cela comporte de détermination, de courage et de force pouvait être un formidable tremplin vers l'avenir, la seule façon de reprendre sa vie en mains.

Il n'avait surtout pas encore compris que l'acceptation ne viendrait que le jour où il consentirait à vivre son deuil jusqu'au bout.

Que l'on perde ses jambes, un proche ou un parent, il y a toujours une période de deuil qui suit. Cela, il ne l'avait pas compris ou plutôt, il ne voulait pas le comprendre.

Où n'était-il tout simplement pas encore prêt à le vivre ?

* * *

C'est en s'asseyant dans l'automobile de son père que Gilles comprit à quel point il était encore faible. Le simple fait d'avoir eu à se préparer pour quitter François-Charron, le temps de saluer les intervenants et ses quelques amis, et l'avant-midi avait passé en sapant le peu de forces qu'il avait accumulées au fil des derniers mois.

La déception qu'il ressentit quand son père replia la

chaise roulante pour la placer dans le coffre arrière de la voiture l'avait définitivement cloué au plancher.

Il n'avait jamais pensé qu'il repartirait chez lui en chaise roulante. Malgré tout, malgré les constatations, les mises en garde et le verdict final, il avait entretenu l'espoir de quitter le Centre sur ses deux jambes...

Heureusement, le plaisir profond de rouler vers chez lui, de contempler enfin autre chose que les murs grisâtres d'un centre hospitalier, fit reculer dans l'ombre ce moment d'abattement.

— Ça fait du bien de revenir chez nous?

Charles-Eugène Morin jetait de fréquents coups d'œil sur son fils, installé à côté de lui. Enfin Gilles revenait à la maison. Enfin, la vie allait reprendre un cours normal. Il était visiblement heureux. Gilles tourna la tête vers son père.

— Du bien? Tu ne sais pas à quel point!

Et Gilles était sincère. Déçu peut-être par un retour qui ne ressemblait pas à celui qu'il aurait souhaité, mais tout de même profondément heureux de revenir chez lui.

Cet instant de libération, cela faisait maintenant six mois qu'il l'attendait!

Pendant un bref moment, les deux hommes se sourirent puis Gilles reporta son attention sur le paysage qui défilait rapidement.

Les champs, les montagnes lui semblaient immenses, tellement plus grands que dans son souvenir! L'horizon était sans limite, les reflets du soleil sur l'eau noire du fleuve se mouvant péniblement entre les glaces étaient un véritable élixir.

La nature s'était faite une beauté pour l'accueillir. Le

ciel était d'un bleu pur. Sur les côtés de la route, la neige scintillait tellement qu'elle tirait des larmes. Quelques frissons de poudrerie enveloppaient le paysage d'une dentelle diaphane. Comme sur les cartes de Noël. Gilles poussait soupir sur soupir de contentement. L'immensité du monde qui l'entourait courtisait tout ce qu'il y avait d'espoir en lui, magnifiant ses pensées, ramenant ses rêves les plus insensés à la dimension d'une perspective réalisable.

Brusquement, tout lui semblait possible.

Et comme les visites à François-Charron allaient se poursuivre de façon régulière, c'était donc signe qu'on espérait encore une quelconque amélioration. Oui, tout était possible. Gilles Morin allait se battre, vaincre petit à petit peut-être, mais il allait gagner.

Une visible euphorie le porta tout au long de la route et Charles-Eugène y puisait à son tour espoir et assurance. Le visage de son fils était calme et détendu, presque souriant et cela lui faisait un bien immense. C'était un batailleur, Gilles, un gagnant et lui, Charles-Eugène, son père, il allait l'aider. Tout comme Francine, sa mère. Et Robert et ses sœurs... Ils allaient tous l'aider à s'en sortir...

Les deux hommes se laissèrent porter par leurs espoirs tout au long de la route, chacun pour soi, respectant le silence qui avait envahi l'auto.

Jusqu'à ce qu'ils arrivent à la maison.

Dès que l'auto s'immobilisa dans l'entrée devant la maison, la réalité rattrapa Gilles au détour de ses rêves et son visage se referma brusquement.

Spontanément, sa main ouvrit la portière de l'auto et tout son corps se porta vers l'avant. Il aurait voulu courir vers chez lui, monter à l'étage où était sa chambre, aller à la cuisine pour soulever le couvercle des chaudrons pour humer ce qui s'y mijotait.

Comme avant.

Il resta cloué à sa banquette, ses jambes refusant de répondre à l'appel immense qu'il sentait monter en lui et à cet instant précis son visage se transforma radicalement.

Il dut attendre que son père lui apportât sa chaise et le prît dans ses bras pour qu'il puisse passer le seuil d'une porte qu'il franchissait en deux enjambées avant.

Alors ses traits se figèrent, ses poings se refermèrent et son père comprit qu'il n'y avait rien de gagné. Ils allaient devoir se battre...

Et dès l'instant où Gilles entra dans la maison, les images basculèrent et le précipitèrent dans l'envers du décor.

Contrairement aux paysages, dans cette maison qui avait abrité son enfance, tout avait rétréci. Quelques tours de roues à l'intérieur et Gilles eut la conviction que les murs s'étaient rapprochés de façon machiavélique.

Où donc était caché ce corridor assez large pour contenir des batailles de soldats de plomb et ce salon tellement grand qu'il y avait construit des villages de blocs Lego immenses avec son frère Robert ?

Aujourd'hui, la maison se refermait sur lui, à un point tel qu'il eut aussitôt la désagréable impression d'étouffer.

Il revenait chez lui, mais il n'était plus dans le décor habituel. Ses parents lui avaient cédé leur chambre pour qu'il n'ait pas à monter l'escalier, son père ou un ami devait l'aider pour aller et venir hors de la maison parce que rien, ici, n'avait été prévu pour un handicapé.

Le mot lui revenait sans cesse comme un rire sarcastique posé sur sa vie. Handicapé...

Et plus les jours passaient et plus il étouffait.

Parce qu'il était tendu, irritable, les nerfs et les muscles crispés, la douleur physique revint. Non plus sous la forme d'une compagne discrète avec laquelle il s'était habitué à vivre au Centre François-Charron mais de nouveau très précise, cuisante, envahissant tout son corps. Gilles n'avait plus aucun répit. Alors il recommença à prendre médicaments sur médicaments pour éloigner cette compagne indésirable. Ses journées s'écoulaient péniblement, coincées entre de longues périodes de sommeil provoquées par la médication et de courts moments d'éveil accompagnés de frustration et de douleur. Les murs de la maison en gardaient le signe évident, tachés qu'ils étaient des traces noires laissées par les roues de sa chaise roulante.

Son humeur était massacrante.

Pourtant, ses parents, bien qu'embarrassés par la nouvelle situation et décontenancés par la nouvelle attitude de leur fils, n'en laissaient rien paraître et tentaient au meilleur de leur affection de l'aider à reprendre pied dans la vie. Pour eux aussi, il y avait une période d'adaptation à vivre, encore plus pénible que ce qu'ils avaient escompté, mais Gilles ne voulait surtout pas l'admettre. Hormis la douleur et l'injustice dont il se disait la victime innocente, rien n'avait d'importance à ses yeux.

Il passait ses périodes d'éveil à tourner en rond, de la cuisine au salon, tempêtant sur tout, grognant comme un ours prisonnier de sa cage. Un rien prenait des allures d'agression et la gentillesse dont ses proches tentaient de l'entourer se transformait aussitôt à ses yeux en marque de pitié qu'il trouvait intolérable. Il refusait tout contact réel avec les siens. Même avec Robert avec qui pourtant il avait toujours entretenu des liens privilégiés.

Plus souvent qu'autrement, il avait la très nette sensation d'embêter tout le monde et c'est comme s'il prenait un malin plaisir à amplifier les situations. D'autant plus qu'une maison ancestrale comme celle de ses parents, construite tout en coins et recoins, n'était pas particulièrement conçue pour que quelqu'un s'y déplace en chaise roulante. Gilles et sa chaise prenaient de la place, beaucoup de place et finalement ils finissaient invariablement par pousser les gens à bout.

Jour après jour, nuit après nuit, comme si brusquement l'univers entier se devait de tourner autour de lui...

Bien installé au milieu de la cuisine, Gilles avait pris l'habitude de surveiller sa mère lorsqu'elle était occupée à préparer le souper. Pourtant, ce soir, pour une première fois depuis son retour à la maison, il lui avait offert de l'aider. Mais celle-ci, habituée de mener les choses à sa manière, seule, avait décliné l'offre. Gentiment, mais elle avait tout de même refusé. Alors Gilles restait là, buté, planté au beau milieu de la cuisine, la suivant du regard. Jusqu'au moment où elle trébucha sur sa chaise en se retournant. La réplique fut instantanée.

— Tu n'irais pas rejoindre ton père au salon, s'il te plaît?

Gilles leva un regard noir.

— C'est ça. Dis donc tout de suite que je dérange.

Francine retint à grand peine le soupir d'impatience qui lui montait aux lèvres.

— Ce n'est pas ce que j'ai dit et tu le sais très bien, répliqua-t-elle d'une voix un brin cassante.

Gilles haussa les épaules avec impatience comme si sa

mère faisait exprès de ne rien comprendre. À son tour, sa voix était froide. Belliqueuse.

— Mais c'est ce que moi j'ai entendu, fit-il à la fin du long silence accusateur qui avait envahi la cuisine. C'est toi maman qui ne comprends pas.

À ces mots, cette dernière se retourna vivement vers lui, soutenant durement son regard. Ses yeux habituellement doux lançaient des éclairs. Son fils était peut-être dans une chaise roulante et c'était fort triste. Elle en était douloureusement consciente. Mais pour l'instant on n'y pouvait pas grand-chose, et il était peut-être temps que Gilles se réveille. Il était même grandement temps que son fils secoue la léthargie malsaine dans laquelle il semblait se complaire s'il voulait un jour se débarrasser de cette chaise maudite comme il le clamait sur tous les tons. Cela faisait plus de sept mois qu'il avait eu son accident, il était peut-être temps qu'il se décide à accepter que sa vie serait désormais différente. Elle l'attaqua de plein front.

— Tu ne trouves pas que depuis quelque temps, tu n'entends que ce que tu veux bien entendre, Gilles ? Rien ne va comme tu le voudrais, rien ne te convient.

Gilles lança un rire sarcastique.

— Comment veux-tu que ça aille ? demanda-t-il en ouvrant les bras.

Puis d'une voix sourde, en secouant brutalement les roues de broche de sa chaise, il répéta :

— Hein ? Comment veux-tu que ça aille ? Dis-le moi, toi, puisque tu sembles tout savoir.

Il y avait tellement de détresse dans la voix de Gilles à travers l'arrogance de ses paroles que la colère de sa mère fondit instantanément. C'est vrai que ce retour à la réalité devait être très pénible à vivre. Humiliant aussi, avec tous ces besoins de base où il devait s'en remettre à d'autres. Alors, tout en posant sa main sur celle de son fils, elle lui répondit doucement :

— Peut-être qu'avec un peu de bonne volonté tu...

Mais Gilles ne voulait rien entendre. Il retira brusquement sa main, interrompant sa mère, s'enfonçant toujours plus profondément dans sa détermination à avoir le dernier mot. Dans cette histoire, c'était lui la victime et à ses yeux, cela lui donnait tous les droits. Malheureusement, autour de lui, personne ne semblait vouloir le comprendre.

— De la volonté ? Tu dis que je n'ai pas de volonté ?

Cette fois-ci, Francine ne fit aucun effort pour retenir le soupir qui lui gonfla la poitrine. Soupir de tristesse, de lassitude entremêlé d'impatience.

— Encore ! Mais écoute-toi parler. Tu déformes tout.

— Oh non ! Ce n'est pas moi qui déforme la vérité. C'est toi, maman. C'est tout le monde. Personne ne peut comprendre ce que je vis. Personne. Regarde-moi ! Allez, un peu de courage ! Regarde-moi bien froidement, maman.

D'une main colérique, Gilles empoigna ses cuisses amaigries et les secoua brutalement.

— C'est mort, tout ça. Ça ne répondra plus jamais. Je suis mort à moitié. Je suis un homme à moitié et tu voudrais que je fasse comme si de rien n'était ?

— Mais non, voyons. Il me...

— Alors dis-moi ce que je dois faire, l'interrompit Gilles, criant presque. Dis-moi comment je peux monter un escalier seul, dis-moi comment on fait pour se retenir quand nos intestins ont besoin de se vider et que l'odeur nous suit à la trace, dis-moi comment embarquer tout seul dans un bain et surtout en ressortir.

Gilles était fébrile. Sa voix éraillée écorchait les mots. Brusquement, il se dégonfla. Épuisé, meurtri. Et dans un souffle, il ajouta :

— Redonne-moi mes jambes, maman, et tu vas voir si j'ai de la volonté. Elle est d'acier, ma volonté. C'est mon corps qui ne veut plus répondre... Juste mon corps...

Et sans attendre une réponse qui ne voudrait rien dire pour lui, Gilles agrippa les roues de sa chaise et quitta la cuisine. Il étouffait. Il n'avait surtout pas besoin d'entendre la litanie habituelle des recommandations d'usage : faire ses exercices, garder le moral. Le bas de son dos élançait à chaque mouvement. À un point tel que la simple perspective d'exercices physiques lui faisait faire la grimace. Ici, il n'y avait aucune obligation comme au Centre. Le fait banal de se déplacer d'une pièce à l'autre lui suffisait. Et sa mère parlait de volonté ?

Brusquement, Gilles sentit monter en lui le besoin irrésistible de changer d'air. Sans hésiter, il se dirigea vers le téléphone. Ce petit appareil restait le seul lien qui le rattachait à la normalité. Il pouvait s'en servir comme bon lui semblait. Comme avant...

— Manon ? C'est Gilles...

Oui, comme avant. Appeler, prendre des nouvelles, en donner, faire quelques projets de sortie.

— Est-ce que tu viendrais me chercher ?

Entretenir l'illusion que rien n'a changé. Mais avant, c'était Gilles qui allait chercher Manon. Pas le contraire.

Alors son poing se referma sur le combiné. Et c'était cela qui ressemblait à la liberté ? Quêter une sortie, quémander un transport ? Les jointures de sa main blanchissaient à vue d'œil tellement il serrait fort le combiné du téléphone. Pour lui, être libre comme les autres, ça voulait aussi dire aller et venir, se lever, marcher, se prendre un verre d'eau, dévaler un escalier, conduire une moto. C'était en demandant à Manon de venir le chercher que Gilles prit conscience de ce qu'était devenue sa vie.

Sa liberté se résumait maintenant à changer une dépendance pour une autre.

Il raccrocha en ravalant ses larmes tandis qu'à la cuisine, sa mère, elle, ne cherchait pas à les retenir. Elle venait de comprendre que la guérison de son fils ne se résumerait pas seulement à continuer de renforcer le bas de son dos. C'était tout son être qui avait été cassé au fond du ravin et c'était tout son être qu'il faudrait reconstruire.

Les jambes, au fond, n'étaient que le prétexte...

De son fils, du jeune homme gentil, prévenant, décidé qu'elle aimait, plus rien ne subsistait. Qu'une vague ressemblance, parfois, qui traversait son regard...

Francine, la femme déterminée qui avait tenu sa famille à bout de bras, toute seule quand son mari était à la Baie-James, aujourd'hui, se sentait faible, sans ressource, démunie. Elle qui avait toujours pensé que ses enfants ne lui appartenaient pas, que ce qu'ils vivaient était en quelque sorte extérieur à elle, elle en comprenait maintenant le sens ultime devant ce fils qui refusait toute forme d'aide. Pourtant, blessé dans son âme comme dans sa chair, par sa seule présence, Gilles lui rappelait sa maternité. Il était son fils, le resterait jusqu'à la fin des temps et, du plus profond de l'amour inconditionnel qu'elle ressentait pour lui, Francine n'aspirait qu'à une chose : le voir à nouveau sourire et mordre à pleines dents dans la vie.

Elle l'entendit préparer ce qu'il appelait avec sarcasme « son sac à couches » et qui le suivait partout depuis son retour à la maison. Peu après, la porte d'entrée se referma avec fracas sur le bruit de sa voix entremêlée à celle de Manon. Gilles était parti...

L'espace d'un instant, Francine se sentit libérée.

C'est alors qu'elle vint rejoindre son mari au salon. Installé dans son fauteuil habituel, le regard fixe, Charles-Eugène faisait semblant de regarder la télévision. Il tourna la tête vers elle dès qu'elle entra dans la pièce. Pendant quelques instants, leurs regards se croisèrent et ils comprirent aussitôt qu'ils étaient sur la même longueur d'ondes. Charles-Eugène ébaucha un bref sourire.

— Pas facile, n'est-ce pas ?

Francine soupira.

— Pas facile ?

Elle se laissa tomber sur le divan face à lui.

— Je dirais même mission impossible.

Pendant un moment, Charles-Eugène resta silencieux. Il comprenait ce que sa femme ressentait mais en même temps, il n'y souscrivait pas totalement. Tout au fond de lui, il n'arrivait pas à se sentir battu. Pas plus qu'il ne pouvait admettre qu'il n'y avait rien à faire ni accepter que sa femme baissât les bras. Elle était l'âme de cette famille et tous, ils avaient besoin d'elle. De sa force, de son calme habituel. Non pas pour prendre des décisions ou poser des gestes précis, mais tout simplement pour garder la cohésion, l'harmonie entre eux. Car depuis l'accident de

Gilles, il lui semblait que les tensions étaient nombreuses. Mais pour le reste, il avait vite compris qu'il n'y aurait pas grand-chose à faire. Sa compréhension de la situation et l'attitude de son fils l'avaient poussé à accepter que la guérison de Gilles passerait par Gilles, d'abord et avant tout. Alors Francine n'avait surtout pas à se sentir coupable ou responsable de quoi que ce soit.

— Mais non, Francine, ce n'est pas une mission impossible. Ce n'est qu'une question de temps et de confiance...

— De confiance ? Comment peut-on avoir confiance ? Et confiance en quoi ? Ça ne lui redonnera pas ses jambes, tout ça.

— Je le sais bien. Mais est-ce là l'important ?

Pendant un moment, Charles-Eugène resta silencieux. Ce n'était pas dans ses habitudes de verbaliser ses émotions profondes et les mots ne lui venaient pas spontanément. Pourtant, présentement, il sentait que c'était important de le faire. L'accident de Gilles n'avait pas seulement plongé la vie de son fils dans la tourmente, mais toute leur vie familiale, avec ses valeurs et ses choix, avait été écorchée au passage.

— Je le répète, c'est une question de confiance... et de temps. On a toujours donné le meilleur de nous-mêmes à nos enfants. À Gilles comme aux autres. Et notre confiance à nous, c'est de là qu'elle doit partir. Gilles finira bien par trouver à l'intérieur de lui-même tout ce qu'il faut pour s'en sortir parce que nous, au fil des années, on lui a appris à se battre et on a toujours eu confiance dans ses capacités. Parce qu'il n'y a que Gilles qui peut aider Gilles. Est-ce que tu comprends ce que je veux dire ?

— Je crois... oui, je crois. Et en principe, je suis d'accord avec ce que tu dis, ça rejoint ce que j'ai toujours pensé. Mais au-delà de ça, moi, toi, qu'est-ce qu'on peut faire pour l'aider ? Je trouve ça tellement difficile de rester là sans rien faire.

— Je le sais. Moi aussi par moments je trouve ça difficile. Ça use la patience, pas vrai ? Mais dans le fond, on n'a rien à faire, Francine. Sinon être présents, jour après jour, et attendre que Gilles nous fasse signe. Un peu comme avec un bébé qui apprend à marcher. On ne peut pas le faire à sa place et il faut avoir la patience d'attendre qu'il soit prêt à se tenir debout. Des fois, ça va tout seul, d'autres fois, c'est plus long...

De nouveau, Charles-Eugène resta silencieux. Puis, dans un murmure, les yeux dans le vague, comme tourné à l'intérieur de lui-même à la recherche d'un souvenir bien précis, il ajouta :

— Oui, comme avec un petit garçon. Tendre les bras, l'encourager à se lever sur ses jambes parce qu'on sait qu'il en est capable et applaudir le jour où il se décidera enfin à mettre un pied devant l'autre...

Puis reportant le regard sur sa femme, il conclut avec fougue :

— Et notre fils va réussir. Je n'ai aucune crainte là-dessus. Comme il a appris à marcher bébé et qu'il a commencé à explorer le monde autour de lui, Gilles va se relever et reprendre son exploration. Sa vie n'est pas finie et c'est ce qu'il doit comprendre. Mais d'abord, il doit aller jusqu'au bout de sa révolte et vivre son abattement dans ses moindres recoins... Comment dire ? Des accidents de travail, j'en ai vu, plusieurs, et chaque fois, c'était le même scénario. Il y avait la détresse, le refus, la colère, la révolte, l'abattement. On aurait dit qu'il y avait un ressort de cassé en eux. Puis un beau matin, on ne sait par quel miracle, tout ça était derrière et les gars remontaient la pente. Mais je crois bien que lorsqu'on a une famille qui dépend de nous, ça aide à prendre le virage plus rapidement. Gilles, lui, n'a pas d'obligation. Alors ça va peut-être prendre plus de temps. Je ne sais pas. Mais ça va venir. Ne t'inquiète pas. Ça va venir. Je le sens là, dit-il enfin en se pointant le cœur.

* * *

Quand Gilles avait claqué la porte derrière lui, il avait eu la sensation de fuir. Et il avait eu la certitude que cette fuite lui faisait du bien, plus, qu'elle lui était vitale. Manon était de bonne humeur, visiblement heureuse de l'avoir près d'elle, et Gilles se laissa emporter par cet enthousiasme. « Enfin, quelqu'un de positif », pensa-t-il injustement. Mais comme il avait la certitude de baigner dans un océan d'injustice depuis son accident, l'idée qu'il se trompait ne lui effleurait même pas l'esprit. Il se prit au jeu des projets pour la fin de semaine qui arrivait, du bout des lèvres, comme par principe, puis accepta avec un soupir de contentement l'invitation de rester pour quelques jours chez Manon.

— Ça va faire moins de voyagement comme ça, trancha la jeune fille.

— Bonne idée...

Bonne idée, oui, mais Gilles, lui, ne voyait que le soulagement de se soustraire aux regards de sa famille...

Les regards posés sur lui.

Il avait peur des regards. Il n'aimait pas ce qu'il y

voyait. Cette pitié qu'il suscitait, cette gêne qu'il provoquait et qu'il ressentait jusqu'au fond de son être comme une tare indélébile.

Dorénavant, Gilles Morin serait différent et il n'avait toujours pas accepté cette différence.

Comment faire pour négocier avec la peur que l'on a des autres? Comment faire pour se blinder des regards que les gens renvoient?

Comment faire pour réapprendre à vivre normalement quand on est devenu anormal?

L'invitation de Manon avait plongé Gilles dans un de ces profonds silences que sa jeune amie avait appris à respecter. Gilles regardait sans le voir le paysage qui défilait à côté de lui. Le soleil s'était gonflé comme un gros ballon orangé bondissant sur la ligne d'horizon. À l'orée des boisés, il devinait la présence de quelques cabanes à sucre à la fumée bleutée qui montait en s'effilochant. Les journées étaient de plus en plus longues, les champs se transformaient peu à peu en peau de vache blanche et brune. Dans chacune des fermes croisées, il savait que les gens pensaient déjà à la saison chaude qui arrivait. Ils prévoyaient les travaux à faire, les améliorations à apporter, les projets à réaliser.

Et lui, que ferait-il une fois la belle saison venue?

Il n'arrivait toujours pas à se voir autrement qu'errant d'une pièce à l'autre, d'une maison à l'autre.

Que pouvons-nous faire de valable lorsque le regard des autres nous fait peur et que notre corps ne veut plus répondre aux ordres que nous voudrions tant lui donner?

Machinalement, les poings de Gilles se refermèrent avec amertume.

Serait-il toujours un boulet pour lui-même comme pour les autres ? Un corps mort inutile et encombrant ?

Tout en roulant en direction de la demeure de Manon, il se laissa porter par ce vague à l'âme qui lui était coutumier. Il n'avait pas envie de parler. De toute façon, il n'aurait rien eu d'intéressant à dire.

Il se sentait de nouveau agressif. Comme s'il en voulait à tous ceux qui l'entouraient. Comme s'il était normal et évident de leur en vouloir d'être normaux, eux...

Heureusement, une surprise l'attendait chez Manon. Victor cherchait à les joindre au téléphone, lui et Manon. Gilles rendit immédiatement l'appel. Accepteraient-ils de se joindre à la bande pour aller à la discothèque le lendemain soir ? Et comme cela lui arrivait souvent depuis son accident, Gilles passa d'un extrême à l'autre. De l'abattement le plus total à une sensation d'euphorie inexplicable. Il raccrocha avec un large sourire et se tourna vers Manon.

— Qu'est-ce que tu dirais d'aller à la disco de Notre-Dame, demain ? Toute la gang y va !

L'enthousiasme de Gilles fut comme un direct au cœur de Manon. Elle le sentit littéralement bondir dans sa poitrine. Là, maintenant, devant ce sourire large et généreux, elle retrouvait celui qu'elle aimait. L'homme sensible et gentil qu'elle espérait toujours redécouvrir dans quelque cachette bien gardée au fond du cœur de l'homme amer que Gilles était devenu. Parce que depuis le retour de Gilles chez lui, les tensions étaient nombreuses. Manon tentait l'impossible afin de renouer les liens qui avaient déjà existé entre eux mais Gilles, lui, ne bougeait pas d'un iota. La plupart du temps, même avec elle, il était blessant, presque méchant. Il semblait de plus en plus évident qu'il considérait comme normal que les gens fussent à son service. Tous sans exception, ils savaient que Gilles portait en lui une rancœur sans nom, une colère envers le destin. Et tous, ils étaient prêts à le comprendre. Manon comme tous les autres, parents et amis. Mais que Gilles renvoyât cette hostilité à la face de tous ceux qui voulaient l'aider et qui, malgré tout, continuaient de l'aimer était profondément injuste. Manon avait tenté d'en parler avec Gilles, de lui expliquer tout ce qu'elle ressentait. La réponse de ce dernier n'avait été que froideur et accusation. Pourquoi ne voulait-elle pas comprendre ce qu'il vivait? Personne ne faisait l'effort d'essayer. Pas plus Manon que les autres. Sa vie était brisée, à tout jamais, et tout ce que les gens avaient à dire, c'était de persévérer. Mais s'entêter pourquoi? Lui, Gilles, il ne voyait pas ce que la vie avait à lui offrir. Tout ce qu'il aimait lui était désormais interdit, alors pourquoi se battre? Pour des pis-aller? Cela ne lui ressemblait pas. Alors, oui, Gilles Morin était en colère. Les gens devraient tout simplement s'y faire. Manon aussi. Elle lui avait alors fait remarquer que sa vie à elle avait aussi ses priorités et ses choix et que leur relation n'avait jamais été un pis-aller. Et que s'il avait décidé de rester sur place, elle, par contre, avait envie de continuer vers l'avant. Avec ou sans lui. Elle pouvait très bien accepter que Gilles fût différent dans son corps, pas dans sa façon d'être envers elle. Et sur le sujet, il n'y avait pas de négociation possible. Elle l'aimait, tenait à leur vie à deux, mais pas à n'importe quel prix. Malheureusement, il semblait bien que Gilles n'avait rien compris. Son attitude envers elle ne s'était pas modifiée. Sauf ce soir... Devant son visage ouvert, presque heureux, pour une première fois depuis longtemps, Manon osa croire que tout n'était pas perdu. Il y avait dans l'air un léger, très léger parfum de complicité et la jeune fille s'y fia. Elle lui rendit son sourire avec une émotion tout amoureuse.

— Et comment! On va sûrement bien s'amuser.

— À qui le dis-tu!

Mais pour Gilles, cette invitation allait bien au-delà du plaisir de se retrouver dans une discothèque. C'était la première fois, depuis son accident, que les copains pensaient à lui comme à un membre à part entière de la bande d'amis. Bien sûr, ils étaient nombreux à lui avoir rendu visite à l'hôpital, au Centre François-Charron ou à la maison, mais chaque fois, Gilles n'arrivait pas à se débarrasser de la désagréable pensée que ses amis se sentaient obligés d'agir comme ils le faisaient. Et cela ajoutait à sa rancœur habituelle, le rendant trop souvent acerbe et distant. Presque malgré lui, comme si cette attitude nouvelle s'était ancrée dans son être le soir de l'accident en remplacement de ses jambes. Aujourd'hui, c'était autre chose. Comme avant, on avait appelé Gilles pour qu'il sorte avec eux. Comme avant, ils l'incluaient dans leurs projets.

À nouveau, Gilles faisait partie intégrale de la gang.

Il se coucha ce soir-là avec une raison de se réjouir. Comme si un vent nouveau s'était levé et soufflait sur quelques nuages noirs pour les tenir à distance.

Et peut-être qu'entouré de ses amis, il se sentirait à l'abri des regards curieux. Une espèce d'anonymat qui lui permettrait enfin de vaincre la peur maladive qui l'empêchait de sortir de chez lui.

Peut-être...

Il s'endormit avec une attente immense dans le cœur.

* * *

Quand Gilles arriva à la discothèque, il était incroyablement nerveux. Quand on vit en région, tout le monde connaît tout le monde. Il se doutait bien que, ce soir, il allait croiser des gens qui savaient ce qui lui était arrivé et qui espéraient, depuis longtemps, voir ce qu'il était devenu. La curiosité fait partie de l'homme. Et cela, Gilles le savait. Il pouvait même le comprendre. Mais de se savoir l'objet de cette curiosité lui nouait l'estomac et faisait même trembler ses mains. Le paravent de la présence de ses amis lui paraissait tout à coup fort dérisoire. Comment passer inaperçu quand on se déplace sur quatre roues ? N'allait-il pas encore une fois déranger, provoquer des remarques désobligeantes ?

N'est-ce pas toujours ce que l'on entend devant les différences ?

Gilles avait les nerfs et les muscles tordus par la peur et le bas de son dos n'était plus qu'un éclair de douleur...

Il avait l'impression qu'il était ici pour passer un test et que tout le reste de sa vie dépendrait des résultats obtenus...

Pourtant, autour de lui, les amis, les connaissances l'interpellaient et riaient tout comme avant.

Victor déplaça une chaise et Gilles s'installa au bout de la table...

Il se commanda une bière.

Puis une seconde et une troisième.

Et petit à petit l'alcool fit son effet. Une bonne chaleur l'envahit et la sensation de détente fut totale. Même les regards posés sur lui ne le rejoignaient plus de la même façon. Curiosité, dédain, gêne ne frappaient qu'un mur d'indifférence, de détachement. Une désinvolture artificielle, il eut un bref instant de lucidité pour l'admettre, et fort probablement passagère. Mais à ses yeux, il n'y avait que le résultat qui soit probant. Et pour l'instant, il était détendu, presque calme.

Et surtout, oh! oui, surtout, son dos ne faisait plus mal.

Alors, ce soir-là, il vida bière sur bière avec obstination, avec application, comme si la réponse à toutes ses attentes et ses questions sans lendemain se trouvaient au fond de la bouteille.

Planant au-dessus des gens, de la douleur et de lui-même, Gilles avait l'impression de retrouver l'autre partie de lui-même, la meilleure. Il riait avec ses amis et regardait Manon avec désir. Enfin! Il avait une érection véritable qui permettrait peut-être une intimité qu'il espérait avec désespoir depuis son retour chez lui.

Il eut la sensation enivrante de reprendre le contrôle de sa destinée. Comme s'il revenait dans le temps et rattachait ensemble les deux bouts de sa vie.

Il crut alors qu'il venait de trouver une réponse, sinon la réponse.

Et il attendit la fin de semaine suivante avec fébrilité pour voir si la magie opérerait toujours.

Malheureusement, la magie opéra.

Après quelques bouteilles, il retrouva le confort de son indolence comme on renoue avec un vieil ami. La douleur le quitta peu à peu et l'insouciance l'enveloppa d'une carapace protectrice. De nouveau, la détente était totale, libératrice de toutes formes de tension.

Le résultat fut affligeant.

Car entre ces moments d'euphorie bienfaisante, les agressions du quotidien à travers gestes et gens devinrent vite intolérables. Gilles y répondit à sa façon. L'indifférence se transformait alors en arrogance, l'impatience se déguisait en colères de plus en plus violentes et son amertume devint agressive.

À leur tour, ses parents montraient de l'impatience et parfois même de la rudesse. Les demandes de Manon devinrent un ultimatum. Ou bien Gilles acceptait de voir la réalité comme elle était devenue et changeait d'attitude ou bien leurs routes se sépareraient. Et une chose était très claire dans l'esprit de la jeune fille : les drogues ou l'alcool n'étaient pas une solution.

Mais la douleur qu'il ressentait lorsqu'il était à jeun et la stagnation à laquelle il était condamné justifiant tout, Gilles n'en tint pas compte. De toute façon, comment Manon pouvait-elle lui parler de la sorte ? Avait-elle la moindre idée de ce que lui, il endurait ? Il continua donc de vivre dans sa bulle, imperméable à tout ce qui se rapprochait de près comme de loin à une marque d'attention, d'affection.

Et il continua de boire.

Mais de ce jour, les séances de réadaptation qu'il continuait de faire à Québec connurent un nouveau but. Un jour, bientôt, il pourrait se déplacer à l'aide de béquilles, la chose étant de plus en plus évidente pour lui comme pour les physiothérapeutes. Il serait alors maître de ses allées et venues.

De nouveau, Gilles Morin serait maître de sa destinée...

Il serra donc les dents avec détermination sur

l'inconfort de ses voyages en autobus vers Québec. Il fit abstraction des regards qui le dévisageaient, de l'embarras dans lequel sa chaise le plongeait, de la douleur infligée par les soubresauts de la route.

Il recommença à faire ses exercices à la maison. Les progrès étaient lents mais réels et rien d'autre n'avait vraiment d'importance à ses yeux. Seule la perspective d'une certaine autonomie justifiait ses efforts.

Bientôt il allait être libre.

Et maintenant, il avait une définition toute personnelle du mot liberté...

* * *

Mais, pendant ce temps, à chacune de ses visites au Centre, les progrès étaient constants. Les longues heures de souffrance qu'il s'obligeait à endurer portaient enfin fruit. La physiothérapeute lui proposa alors de revenir s'installer au Centre pour quelque temps, car si ses jambes restaient toujours un poids mort, son bassin, lui, avait repris de la vigueur. Les muscles répondaient enfin de mieux en mieux et Gilles sentait la vie renaître dans cette partie de son corps. Petit à petit, il en reprenait le contrôle. Il n'avait plus de sonde et les couches étaient chose du passé.

— Je crois qu'une semaine intensive d'exercices et d'ajustements serait suffisante pour enfin passer à une autre étape. Qu'est-ce que tu dirais de te déplacer avec des béquilles ? Je crois que ton bassin est suffisamment fort pour te porter.

Et comment !

Ce matin-là, Gilles était donc parti presque à l'aube,

la route étant longue entre chez lui et Québec. Il avait rendez-vous avec Marie-Andrée, l'intervenante qui avait remplacé Isabelle, partie du Centre à peu près à la même époque que lui.

Le printemps avait commencé à imposer un peu partout sa présence dans la vallée et s'était installé en maître dans les arbres qui laissaient éclater leurs bourgeons en milliers de petites feuilles dentelées. Les vaches avaient repris leur tour de garde dans les champs, les tracteurs étaient sortis des hangars, les pommiers sentaient bon. Et Gilles s'obligeait à concentrer toutes ses attentions sur le paysage pour calmer l'anxiété qui avait accompagné son réveil, ce matin-là.

Il était terriblement nerveux.

Quand Gilles entra dans la salle d'exercices, Marie-Andrée était déjà là.

À la main, elle tenait une paire de béquilles.

Alors Gilles étira un large sourire. Un de ceux venus tout droit de son ancienne vie, franc et sincère.

Il travailla cette semaine-là avec toute l'énergie dont il était capable.

Pourquoi est-ce que ce fut son père qui vint le chercher ce jour-là ? Personne ne saurait le dire. Il y a parfois de ces petits cadeaux de l'existence qui font du bien. De ces instants magiques qui restent gravés en nous et, bien que nous n'en comprenions pas toujours le sens à première vue, ils sont là, prêts à surgir au besoin.

Quand son père vint le rejoindre, Gilles était debout, appuyé sur les barres parallèles. Son visage était en sueur, ses mains meurtries à force d'exiger qu'elles le soutiennent depuis une semaine qu'il était ici, et le bas de son dos lui semblait en charpie. Ses épaules étaient endolories et sa nuque raide, mais c'était là une douce douleur.

Une bataille venait d'être gagnée.

Pendant un long moment, les deux hommes se regardèrent en silence. Entre eux, les mots n'avaient pas toujours été nécessaires. C'était un trait familial, une façon d'être qui leur appartenait.

Soutenant toujours le regard de son père, Gilles prit les béquilles appuyées sur une des barres de bois. Il glissa ses avant-bras dans les supports, empoigna solidement les appuis et lentement, par bonds, les deux jambes à la fois, une béquille après l'autre, il marcha jusqu'à son père qui n'arrivait pas à cacher complètement son émotion. Son fils était debout!

Gilles s'arrêta devant lui, épuisé mais fier, et pour une première fois depuis l'accident, les deux hommes se retrouvèrent à égalité, épaule contre épaule. Charles-Eugène avait les yeux curieusement brillants et Gilles avait ce visage de vainqueur qui était auparavant le sien.

Charles-Eugène Morin venait de retrouver son fils. Il se racla la gorge, renifla bruyamment puis lança de sa voix grave:

— Bravo, mon gars. Tu viens de regagner ta liberté.

Gilles ne répondit rien, profondément ému à son tour. Parce qu'à ces mots, il venait de comprendre que ses parents ne l'avaient jamais laissé tomber et que malgré tout ce qu'il avait pu en penser, ils l'avaient accompagné en enfer et partagé son cauchemar. Ils avaient vraiment compris ce qu'il vivait. Gilles se contenta de poser la main sur le bras de son père et de le serrer très fort.

Tous les deux, ils venaient de retrouver le confort rassurant de certains silences.

* * *

Pendant les jours qui suivirent, Gilles savoura avec délices la griserie d'entrer et sortir de la maison à sa guise. Une foule de petits détails insignifiants étaient désormais à sa portée et il explorait les possibilités nouvelles qui s'offraient à lui avec gourmandise.

Il faisait sa joie d'un verre d'eau qu'il avait lui-même servi, d'une assiette prise sans aide dans l'armoire.

Il développa son habilité à marcher sur les sols accidentés, s'appliqua à monter et descendre les escaliers, trouva des astuces afin de rendre les béquilles le moins encombrantes possible.

Chez lui, Gilles se sentait à l'aise et les regards ne lui faisaient plus peur. Il se disait que le temps venu, il arriverait à vaincre la hantise des regards étrangers, toujours présente en lui. Et qu'il finirait bien par trouver une manière de marcher, des positions nouvelles qui empêcheraient le bas de son dos de le faire souffrir.

Depuis qu'il se tenait debout, la douleur était terrible et seule l'excitation d'avoir enfin quelque chose de nouveau à accomplir faisait que Gilles l'acceptait.

Quant à eux, Francine et Charles-Eugène le regardaient aller et venir avec émotion. Ils voyaient bien les grimaces de souffrance que leur fils échappait parfois. Ils n'en étaient que plus fiers de lui.

— Et dire que j'ai osé penser qu'il n'avait pas de volonté, murmura Francine alors qu'elle l'observait depuis la fenêtre de la cuisine.

Un jour, deux jours, une semaine. Tout cela dura environ une semaine.

Le temps que Gilles s'aperçoive qu'il y aurait toujours des limites à ses possibilités. Et qu'elles étaient déjà atteintes.

L'euphorie s'effrita donc peu à peu devant les embûches. Une visite à la ferme de son oncle Benoit confirma le tout. Gilles mourait d'envie de l'aider, d'agir. Il était condamné à regarder de loin.

L'an dernier à pareille date, il promenait son petit cousin à travers champs sur ses épaules. Aujourd'hui, il lui racontait des histoires comme un vieillard, chaque fois qu'il venait chez son oncle.

L'amertume reflua en lui comme un jet de bile. Aigre et décevante, humiliante et douloureuse, se greffant irrévocablement à la douleur physique toujours aussi cuisante.

Il était assis sur la galerie de son oncle. Cette même galerie, cette même chaise, là où il prenait son café tous les matins, planifiant ses journées, mesurant la chance qu'il avait de travailler sur une ferme, appréciant cette vie qui était la sienne. C'était il y a un an. Pour lui, c'était plus vaste que l'éternité. Il regarda alors autour de lui lentement, détaillant les bâtiments, enviant les hommes qu'il devinait à l'autre bout du champ. Il avait mal dans son corps, dans sa tête et dans son cœur. Alors, c'est là, à cet instant précis que Gilles admit une bonne fois pour toutes qu'il aurait beau s'acharner jusqu'à la fin des temps, il y aurait toujours une frontière entre lui et les autres.

C'était un fait, et il aurait été vital qu'il l'accepte.

Mais lui — encore et toujours, cette démarcation — il

préférait ne pas la voir. Tout comme la douleur qu'il n'était plus capable d'endurer. Ce qu'il ressentait à ce moment-là formait une entité globale qui justifiait tout et n'importe quoi.

Alors s'il n'était pas capable de détruire ces impondérables, il trouverait une solution qui saurait au moins les aplanir...

Pourquoi toujours chercher à se battre puisque la lutte était biaisée et que le vainqueur avait été choisi à l'avance?

Par ailleurs, ce fut à cette époque qu'il reçut la réponse de la SAAQ, déterminant le montant de son indemnisation à la suite de l'accident.

Il se commanda une automobile adaptée à ses besoins.

Il avait enfin un but devant lui et se mit à attendre l'appel du concessionnaire automobile avec autant d'impatience qu'il avait espéré le jour où il pourrait de nouveau marcher.

Et il savait fort bien ce qu'il entendait faire de cette mobilité nouvelle qui s'offrirait alors à lui.

Ça fait un an. Devrais-je dire déjà ou enfin? Je ne sais plus.

Ça fait un an que Gilles Morin est devenu une moitié d'homme. Bonne fête à Gilles, bonne fête à...

J'en ai assez.

Assez des murs trop rapprochés, de l'aide que je dois encore trop souvent demander, des regards qui se posent sur moi où que j'aille.

Je déteste les limites de ma nouvelle vie si on peut appeler ça vivre. Je n'arrive même pas à faire l'amour à Manon de façon, disons, juste satisfaisante. Déjà que d'arriver à garder une érection assez longtemps serait une vraie victoire. Tandis que maintenant… Ça me fait peur. Est-ce que ça va revenir un jour? Je me sens tellement mal quand ça ne marche pas. Je me sens encore plus diminué. J'ai honte. C'est ridicule mais c'est comme ça.

Et j'ai encore mal. Tellement.

Pourquoi le monde n'arrive pas à comprendre que j'ai mal? On dirait que pour eux, c'est comme si je le faisais exprès, comme si j'exagérais juste pour me rendre intéressant.

Ils n'ont rien compris.

Une chance, maintenant je vais pouvoir me déplacer sans aide. Les béquilles, l'auto que j'ai commandée… Tout un mieux! Gilles Morin est devenu un grand garçon, il va pouvoir partir de chez lui tout seul…

Voilà ma nouvelle liberté! Entrer et sortir seul d'une maison et me déplacer sans aide d'un endroit à un autre. Et on appelle ça de l'autonomie! Moi j'appelle ça un maigre compromis. Comme un bonbon vite sucé que l'on donne aux enfants sages. Ne reste qu'un arrière-goût dans la bouche. Moi, c'est un arrière-goût de liberté qu'on m'a donné. Et on voudrait que je fasse comme si de rien n'était? J'ai l'impression que je vais passer le reste de ma vie à être un petit garçon qui a toujours besoin des autres.

Mon père m'a parlé de retourner à l'école. Il ne se doute de rien! Pourquoi aller à l'école? Pour faire quelque chose dont je n'ai pas envie? C'est pilote d'avion que je veux être. Pourquoi est-ce que ça aurait changé? Parce que je n'ai plus de jambes, il faudrait que tout le reste change aussi? Ça se peut pas une chose pareille. En dedans, c'est encore moi. Et ça m'écœure de voir qu'en dehors je n'arrive pas à faire comme avant.

Je n'aime pas comment les gens me regardent. Je suis devenu une curiosité. J'en veux pas de leur pitié. Je veux juste mes jambes comme avant.

Et arrêter d'avoir mal.

C'est pour ça que je bois. Mais ça, personne ne veut essayer de le comprendre. Et comme personne jusqu'à maintenant n'a trouvé de solution pour vraiment calmer ma douleur...

Personne ne veut essayer de comprendre le calvaire que je suis obligé d'endurer. Après, on dit que c'est moi le problème. Que je n'ai pas la bonne attitude. C'est une vraie farce. Qu'ils essaient pour voir. C'est pas parce que j'ai des béquilles que tout est rentré dans l'ordre. Voyons donc! C'est juste un peu mieux qu'avant. Mais plus jamais je vais pouvoir travailler dans les champs, plus jamais je vais pouvoir promener Christian sur mes épaules, plus jamais je vais pouvoir... Et le monde voudrait que je sois comme avant. Je ne serai plus jamais comme avant. Quand est-ce qu'ils vont le comprendre et l'accepter? Ils ne savent pas, eux autres, c'est quoi avoir tout le temps un bâton dans les roues. J'en ai assez d'avoir toujours des limites à ce que j'ai envie de faire. Et ensuite on me reproche d'être agressif, d'être toujours de mauvaise humeur. C'est bien assez, non, pour être en colère?

Et je n'aime pas la façon dont les gens me regardent, dont Christian me regarde. On dirait qu'il y a quelque chose de cassé entre nous deux et ça me fait de la peine.

Partout où je regarde, il y a quelque chose qui me saute dans la face pour me rappeler que j'aurai toujours des limites. Et on voudrait que je sois comme avant.

C'est pour ça que je bois. Parce que je pense moins, parce que je n'ai pas mal, parce que la façon dont les autres me regardent ne me dérange plus quand je bois, parce que ça fait passer le temps. C'est long une journée à sautiller sur des béquilles ou rouler en rond sur une chaise. C'est bien assez pour avoir envie de vider des tas de bouteilles. Mais les autres ne veulent rien comprendre.

Tant pis.

C'est moi qui vais être pris à vivre avec moi jusqu'à la fin, je vais donc le faire comme je l'entends. Un point c'est tout. Ils finiront bien par s'y faire…

Chapitre 5

Les mois qui suivirent, ou plutôt les années qui suivirent resteront toujours pour Gilles comme la pire période qu'il lui ait été donnée de vivre.

À la banale auto qu'il avait commandée succéda rapidement une rutilante Camaro Z28.

De façon puérile, il croyait ainsi se rebâtir une image d'homme. Il roulait à toute allure comme si sa virilité se mesurait désormais à la vitesse atteinte à défaut d'autre chose. Il collectionnait les contraventions qui invariablement s'empilaient dans le coffre à gants de sa voiture sans qu'il y accordât la moindre attention.

La nouvelle vie de Gilles Morin venait de commencer.

Il s'étourdissait et refusait de voir la réalité. Au volant de son bolide, il s'offrait l'illusion d'être l'autre homme qui sommeillait en lui. Il contrôlait l'auto donc il contrôlait sa vie. Pendant ces instants, il lui arrivait parfois d'oublier que désormais il était handicapé. Il fonçait à toute allure sur la route comme si c'était là le but ultime de sa vie et qu'il en avait repris la maîtrise.

Et parce que de cette façon il arrivait à endormir la douleur et à dominer sa hantise des autres, il devint ce que l'on est justifié d'appeler un pilier de bar. L'alcool, certaines drogues douces et les analgésiques combinés calmaient réellement sa douleur et effaçaient temporairement ses fantômes. À ses yeux, cela justifiait tout.

Il se fichait de tout et de tout le monde.

Son arrogance devint méchante, car il ne voyait plus aucune raison d'être gentil. Il se voyait vivant à cent à l'heure et voilà que le destin l'avait cloué au sol.

Lui qui vivait à la campagne, il n'était plus capable de voir une ferme sans ressentir une profonde rancœur. L'odeur de l'huile à moteur lui levait le cœur. Il ne cherchait pas à analyser, à saisir le sens profond de tout cela. Il se contentait de vivre de façon primaire à la surface des choses.

On l'avait privé de tout ce qui lui semblait important dans la vie et il avait envie de se venger. Il voulait rendre la monnaie de la pièce à l'injustice qui l'avait frappé. L'autre Gilles, celui qui savait être prévenant, attentif aux autres, plein de projets et de joie de vivre n'avait plus sa raison d'être. C'était lui la victime, l'innocente victime, aux autres de s'y faire. Désormais sa philosophie de vie ne débordait jamais de l'entendement personnel qu'il avait des événements.

Tous et chacun lui devaient réparation.

Alors personne n'arrivait à le toucher ou à lui faire entendre raison.

Il était un handicapé et cela lui octroyait tous les droits. Même ceux qui ne sont donnés à personne.

Il ne voyait pas que la barrière qui s'élevait entre une vie normale et lui, entre les autres et lui, était son œuvre. Une palissade tellement haute qu'elle finit par décourager les esprits les mieux attentionnés. Ses parents, son frère, ses sœurs, Manon, ses amis, tous le regardaient aller sans pouvoir intervenir. Parce qu'il n'acceptait aucune intervention.

Il se croyait en parfait contrôle. En réalité, il était en chute libre. Mais il ne l'aurait admis sous aucun prétexte. Il voyait bien que les gens s'éloignaient de lui. Il se convainquait que c'était son handicap qui faisait fuir les autres. Tout, plutôt qu'admettre que son attitude était à l'origine de cette désertion.

Il se moquait de la vie, purement et simplement. Elle n'allait pas tarder à le lui rendre. Et de cruelle façon...

* * *

Comme cela lui arrivait trop souvent depuis quelques mois, Gilles avait décidé de passer son vendredi soir en compagnie des copains, dans un bar, sans tenir compte des demandes de Manon qui aurait préféré une soirée en tête-à-tête avec lui, devant un bon film. Mais Gilles n'avait rien voulu entendre.

— Le vendredi, c'est réservé aux chums. On se reprendra demain... S'il n'y a rien de prévu pour la soirée.

Manon avait l'impression depuis quelque temps qu'elle n'était plus qu'un pis-aller. Sa relation avec Gilles ne rimait à rien, tournait en rond autour de lui et la faisait souffrir plus qu'elle n'apportait de plaisir. Combien de fois avait-elle tenté d'en discuter avec Gilles ? Elle n'aurait su le dire tant elles étaient nombreuses. Mais leurs conversations se résumaient à des dialogues de sourds. Gilles n'entendait que ce qu'il voulait entendre et restait imperméable à toute ouverture d'esprit. Il semblait avoir fait des choix précis quant à sa vie, et rien ni personne n'arrivait à lui faire prendre conscience de ses erreurs, de son égocentrisme. Et comme Manon savait pertinemment que Gilles allait boire comme un ivrogne, elle ne l'accompagnait plus dans ses périples du vendredi.

Manon passa donc la soirée chez une amie. Assise en tailleur au pied du lit de celle-ci, elle avait parlé. Toute une soirée à parler. À monologuer, plutôt, Suzanne se contentant d'approuver par monosyllabes, ou de relancer sa réflexion par d'habiles questions brèves mais précises.

— Je ne sais plus où j'en suis.

La déception de Manon devant l'attitude de Gilles à son égard avait rapidement cédé le pas à sa colère, à son incompréhension. Elle s'était vidé le cœur, et de le faire à haute voix, avec une amie, avait permis de crever l'abcès. Manon en avait assez de cette relation à sens unique où Gilles semblait prendre sa présence comme un acquis, comme un dû. Elle l'avait enfin admis.

— Je ne sais plus où j'en suis, confessa-t-elle, et en même temps, je sais très bien ce que je ne veux plus. J'en ai assez d'être le bouche-trou de monsieur. Sans compter...

— Sans compter?

— Côté sexuel, c'est pas le Pérou... Ça s'améliore, mais c'est encore loin de ressembler à ce que l'on vivait avant.

Suzanne fit la moue.

— Disons que sur ce sujet, Gilles aussi doit être malheureux de la situation. Il n'y est pour rien.

À ces mots, Manon poussa un profond soupir.

— Je le sais bien. Et c'est exactement ce que je disais : je ne sais plus où j'en suis. Je ne sais plus quoi faire. En soi, son handicap ne m'incommode pas. Je m'en fous qu'il soit obligé de marcher avec des béquilles. Et pour le reste, les accommodements, les frustrations, je préfère me dire que le temps y pourvoira d'une façon ou d'une autre. Pour moi, l'essentiel ne se joue pas vraiment là. C'est tout ce qu'il a rattaché à son handicap qui me dérange. Son arrogance, sa suffisance...

Pendant quelques instants, Suzanne sembla plongée dans une profonde réflexion. Puis elle leva les yeux vers son amie.

— Et s'il n'était pas handicapé? demanda-t-elle franchement. Qu'est-ce que tu ferais si Gilles était comme avant?

Manon dessina un petit sourire sans joie.

— La bonne question... Je crois que je le laisserais. Handicapé ou pas, c'est finalement son attitude qui me blesse le plus, qui m'épuise. Avec lui, je ne sais plus sur quel pied danser. Mais le hic, c'est qu'il est handicapé. Alors je ne sais plus.

— Oh! Attention. Tu ne crois pas qu'en pensant ainsi, tu entres dans son jeu?

— Entrer dans son jeu? Je ne vois pas.

— Il me semble que c'est clair, non? Réveille, Manon! Regarde-le aller bien froidement, ton Gilles. Monsieur le handicapé a tous les droits. Il fait pitié, il est la victime et se permet de jouer avec les émotions des autres. Même s'il dit qu'il veut être traité comme tout le monde, il est loin d'agir en conséquence. Il n'aime pas qu'on le regarde avec curiosité mais en même temps, il utilise son handicap pour manipuler les gens. C'est ça que je veux dire quand je te dis que tu entres dans son jeu. Tu le maternes, Manon. Et je ne crois pas que c'est de cela qu'il a besoin. De toute façon, toi aussi tu as droit à ta vie. Je le répète:

s'il était comme tout le monde qu'est-ce que tu ferais?

L'hésitation de Manon ne dura qu'une fraction de seconde.

— Je le laisserais, laissa-t-elle tomber en haussant les épaules. La vie avec lui ne rime plus à rien.

— Alors tu sais ce qu'il te reste à faire. Dis-toi bien que sur le plan des émotions, Gilles Morin est exactement comme toi et moi. Et tes émotions à toi ont autant d'importance que les siennes. Tu n'as pas à handicaper ta vie sous prétexte que la sienne l'est. Surtout devant son attitude. Accepter des contraintes, certaines frustrations même, par amour pour quelqu'un qui nous le rend bien, c'est une chose. Accepter de vivre au ralenti pour un égoïste, c'est tout autre chose. Tu ne lui dois rien, Manon. Rien du tout.

— Ouais, tu as raison. N'empêche que ce n'est pas facile.

— Et alors? Une rupture n'est jamais facile. Jamais.

Manon ne répondit rien. Elle savait que Suzanne avait raison. Pourtant, elle passa une grande partie de la nuit à écouter les battements échevelés de son cœur et tenta désespérément de calmer les vertiges qui lui nouaient l'estomac. La nostalgie de ce qui avait déjà existé empiétait sur sa décision. Les bons souvenirs essayaient de s'imposer, dessinant quelques larmes sur ses joues. L'aube lui apporta enfin le répit d'un sommeil léger. Au réveil, elle savait ce qu'elle allait faire.

Même si c'était là un dur moment à passer.

Finalement, les bonnes choses entre Gilles et elle n'avaient pas eu le dessus.

Parce que la complicité entre eux, le respect et les projets d'avenir faisaient partie d'une autre vie.

L'espoir et la foi, l'enthousiasme et les connivences amoureuses, c'était avant...

* * *

Quand Gilles s'éveilla ce matin-là, il avait la gueule de bois. Encore une fois, hier, il avait exagéré. Il le savait. Il n'était tout de même pas un imbécile. Mais d'une pirouette de l'esprit, il jugea qu'il préférait, et de loin, une bonne gueule de bois le matin à une douleur lancinante qui allait grandissant tout au long de la journée. Il s'étira longuement dans son lit et vida d'un trait le verre d'eau qu'il gardait toujours à portée de main. Dans quelques minutes, le mal de tête se ferait moins présent. Dehors, il faisait beau et il avait promis à Manon de la rejoindre chez Suzanne pour qu'ils pussent passer la journée ensemble. Bain et déjeuner et il serait prêt à partir.

Manon avait dû surveiller son arrivée, car dès que Gilles immobilisa son auto devant la demeure de Suzanne, elle sortit de la maison pour venir à sa rencontre. Elle avait l'air fatigué, ses traits habituellement lumineux étaient tirés. Elle approcha de l'auto et attendit que Gilles en sorte. Mais contrairement à son habitude, elle ne vint pas à lui pour l'embrasser.

— Il faut que je te parle.

Sans trop savoir pourquoi, Gilles ressentit un drôle de coup dans l'estomac. Mais aussitôt, il passa outre avec désinvolture. Ce n'était pas la première fois que Manon lui faisait un sermon. Sa sortie de la veille devait être à l'origine de cette nouvelle altercation qui se préparait. Quand est-ce qu'elle finirait par comprendre que lui aussi avait droit à une vie normale ? Il attendit sans répondre, ne sachant trop s'il allait laisser percer son impatience. Chose certaine, il était fermement décidé à ne pas céder à la culpabilité. Il avait le droit d'agir comme il le faisait. La preuve ? Manon avait l'air mal à l'aise et fuyait son regard. Puis elle releva brusquement la tête et le fixa un moment. Une lueur de défi, de détermination éclairait son visage, mais ses yeux demeuraient étrangement tristes.

— Je crois qu'il est temps de faire le point, Gilles. La situation ne peut plus durer comme ça.

Le jeune homme ne chercha nullement à retenir le soupir d'impatience qui lui monta aux lèvres. Ça y était. Et comme trop souvent hélas, il aurait droit au sermon.

— Ne soupire pas, enchaîna aussitôt Manon avec fermeté.

Puis elle ajouta, comme si elle lisait dans ses pensées.

— Ne t'inquiète pas, je n'ai pas envie de te faire la morale. En fait, je ne te ferai plus jamais la morale parce que c'est ici que nos routes se séparent, Gilles.

C'était direct et clair. Pourtant, l'esprit de Gilles refusa de voir la vérité. Mais qu'est-ce que Manon venait de dire ? Il avait dû mal comprendre. Pourquoi ? Ça n'allait quand même pas si mal entre eux. C'est vrai que leur relation était différente. Mais à qui la faute ? Ou plutôt à quoi la faute ? Il n'y était pour rien. Tout d'un coup, le mal de tête qui avait provoqué son réveil s'imposa avec une violence inouïe. Gilles baissa les paupières un instant dans l'espoir de l'éloigner, mais curieusement, c'est l'image d'un mur rocheux qui envahit son cerveau. Un mur immense, noir, traître qui fonçait vers lui. Il ouvrit les yeux précipitamment. Manon continuait à le regarder, à la fois triste et déterminée. Et même s'il n'avait plus aucune sensation dans les jambes, Gilles eut la certitude qu'il sentait le sol se dérober sous ses pieds. Il s'appuya contre l'auto. Pas Manon, pas elle. Elle disait que son handicap ne la dérangeait pas. Elle disait que la vie continuait malgré tout. Tout ça, ce n'était donc qu'une façade ? La spirale qui avait avalé une grande partie de sa vie, une certaine nuit de juillet, venait de le rattraper. Il saisit la seule perche qu'il voyait devant lui. Ce n'était qu'un malentendu, n'est-ce pas ? Il se redressa, chercha à croiser le regard de son amie.

— Je sais bien que mon handicap n'est pas toujours très...

Ils allaient s'expliquer, Gilles allait comprendre ce qui lui arrivait. Et Manon aussi allait comprendre ce que lui vivait. On ne pouvait en rester là. Ils allaient trouver une solution.

— Ton handicap ?

Manon semblait subitement de glace. Elle venait surtout de comprendre que Gilles, lui, ne comprenait rien à rien.

— Tu vois bien juste ce que tu veux voir, hein Gilles ? enchaîna-t-elle rapidement avant que les mots ne lui manquent. Mais tu n'y es pas. Ton handicap n'a rien à voir avec ma décision. C'est vrai que ça nous oblige à vivre différemment. Mais dans le fond, ce n'est pas important. C'est ce que tu es devenu, Gilles, qui ne va pas. Tu es amer, vindicatif, égoïste. Tu justifies toujours tout avec ton handicap. Tu ramènes toujours tout à toi. Et moi, vois-tu, j'ai envie de vivre aussi à ma façon. J'en ai assez de faire du surplace.

Gilles reçut ces quelques mots comme une attaque,

une provocation inutile. S'il faisait du surplace, comme Manon le disait, c'est que la vie le lui avait imposé. Pourquoi ne voulait-elle pas l'admettre ?

— Et moi, je suis le boulet à la cheville. Avoue-le donc, lança-t-il à la fois maladroit et sarcastique, cherchant à se défendre.

Tout, n'importe quoi pour rattacher ensemble les bribes échevelées de cette conversation sans logique. Gilles sentait bouillir en lui une émotion nouvelle qu'il n'arrivait pas à identifier. Comme une drôle de colère faite de déception, de perte de contrôle, d'incompréhension. Comme une immense peur qui faisait trembler ses mains et son cœur. Qui faisait trembler toute sa vie, comme au soir de l'accident. Surtout lorsqu'il croisa de nouveau le regard de Manon. Elle avait un de ces regards qui lui faisaient peur et qu'il tentait désespérément de fuir.

Parce que maintenant, dans les yeux de son amie, c'est de la pitié qu'il voyait. Et il n'avait pas tort. Mais la pitié de Manon n'avait rien à voir avec ses jambes mortes. Elle avait à voir avec l'aveuglement de Gilles qui ramenait tout à l'accident. Comme si, malgré toutes ses paroles, il se complaisait dans son malheur. Et cela, elle n'était plus capable de le vivre.

— Un boulet ? Pas du tout. Pas de la manière que tu crois, Gilles. C'est juste qu'on n'a plus rien en commun. Je...

Manon hésita un moment. Elle lisait tellement de détresse dans les yeux de Gilles que, l'espace d'un battement de cœur un peu plus fort que les autres, elle eut la tentation de revenir sur sa décision. Puis les quelques mots de Suzanne lui revinrent en mémoire. « Tes émotions ont autant de droit que les siennes. » Manon prit une profonde inspiration et évitant le regard de Gilles, elle lança rapidement :

— Je crois que c'est préférable comme ça, Gilles. Autant pour toi que pour moi. Accepte pour une fois que les autres puissent avoir raison. Et ton accident n'a rien à voir avec ma décision, répéta-t-elle comme si elle voulait que les choses fussent limpides, sans la moindre ambiguïté. J'espère seulement qu'on saura rester des amis malgré tout.

Et sans attendre de réponse, Manon tourna les talons et s'enfuit vers la maison, courant plus qu'elle ne marchait, espérant seulement que Gilles ne la rappellerait pas.

Mais Gilles n'avait plus de mots. Dans sa tête, un immense vertige l'empêchait de penser. Comme un instant de stupéfaction posé sur sa vie, semblable à celui vécu le soir de l'accident quand il avait vu le mur se précipiter vers lui et qu'il ne pouvait rien faire pour éviter l'impact. La douleur incrédule ressentie dans tout son corps était exactement la même. Cette impression d'être mis en lambeau...

Machinalement, il revint s'asseoir dans l'auto, mit le contact, démarra et fit demi-tour. Pour aller n'importe où. Ça n'avait plus vraiment d'importance.

Il y a un an, on lui avait ravi l'usage de ses jambes. À tout jamais.

Aujourd'hui, Manon venait de lui ravir l'usage de son cœur.

Et là aussi, il avait peur que ce fût à tout jamais.

Je ne comprends pas. J'ai l'impression que je ne suis plus qu'un paria. J'ai peur de ce temps que je vois infini devant moi, seul. Seul au fil des jours et des nuits. J'ai perdu le pari de rebâtir une vie normale. On n'est pas normal quand on n'a plus de jambes. Je ne serai plus jamais un homme, un vrai avec toutes les possibilités qui s'y rattachent. Manon vient de l'exprimer sans avoir à le dire ouvertement.

Qui voudra de moi si Manon elle, n'a pas voulu d'un homme à moitié?

Elle disait qu'elle m'aimait.

Mais finalement, elle n'a pas su.

Qui donc le pourra? Qui donc pourra se laisser séduire par moi?

J'ai peur. Je ne veux pas vivre seul.

Probablement que Manon a choisi la normalité. Elle n'en a rien dit, mais mon intuition me crie qu'il y a quelqu'un d'autre. Quelqu'un de normal. Quelqu'un qui n'attire pas les regards.

Quelqu'un qui peut partager ses envies, ses ambitions, tous ses projets.

Quelqu'un qui peut lui faire l'amour normalement.

Et ce n'est pas moi. Pourtant je l'aime tellement. J'aurais tellement voulu que ce soit différent avec elle. L'amour n'est-il pas censé combler tous les fossés?

J'ai mal. Ça fait mal perdre quelqu'un que l'on aime.

Ça fait mal comprendre que l'on ne sera jamais vraiment celui qu'on voulait être.

Mais comment est-ce que je pourrais l'être? Je ne sais pas. Je ne sais plus. Et j'ai peur...

* * *

De ce jour, le quotidien de Gilles dérapa. Plus rien ne

l'intéressait hormis la preuve qu'il cherchait désespérément à donner. À lui comme aux autres. La preuve irréfutable qu'il pouvait être comme les autres. La perte de Manon l'avait plongé dans une forme de désespoir qui ressemblait à une amputation.

À ses yeux, en le rejetant hors de sa vie, Manon le privait de l'unique preuve de sa virilité.

Il comblait ce vide comme il le pouvait. Maladroitement, puérilement.

Il buvait de plus en plus, se justifiant par l'éloignement de la douleur.

Il roulait en fou, y puisant une forme de satisfaction morbide qu'il rattachait à la normalité. Comme si c'était là la seule manière d'avoir confiance en lui. Parce que pour le reste...

L'année qui suivit fut terrible pour ceux qui l'entouraient.

Décevante.

Gilles restait imperméable aux émotions des autres. Il ne vivait désormais que pour lui, au quotidien. Sans but, sans projets.

Les mois passaient, les journées se ressemblaient toutes. Il se fit une nouvelle amie. Mais pas plus que Manon, elle ne réussit à atteindre vraiment son cœur. Pourtant, Gilles tenait à elle. Mais de façon égoïste, pour ce qu'elle apportait de normalité dans sa vie. Malheureusement, il oubliait trop souvent qu'elle aussi avait des émotions, une vie avec des projets, des rêves. À nouveau, tout comme avec Manon, il tenait cette présence nouvelle comme un acquis. Un dû que la vie n'avait pas le choix de lui donner, lui ayant enlevé tout le reste...

Pourtant, autour de lui, il y avait des mises en garde, des conseils. Ses parents, ses sœurs, son oncle Benoit... Cesser de boire, reprendre ses études, se donner des buts réalisables. Gilles n'écoutait personne. Parce que pour lui, personne ne pouvait le comprendre. Les buts qu'on lui proposait ressemblaient trop à des demi-mesures, à des compromis. Gilles jugeait que c'était là faire preuve de faiblesse...

Petit à petit, les gens s'éloignaient de lui, se montraient de plus en plus indifférents. Gilles rattachait encore et toujours leur attitude à son accident.

C'était parce qu'il était différent que les gens s'éloignaient... Tant pis pour eux. Il se fit de nouveaux amis.

Il n'avait pas évolué depuis la nuit de l'accident.

Tout s'était arrêté là, dans un fossé humide et froid, et Gilles ne voyait toujours pas comment il allait en sortir... Comme lui aurait voulu s'en sortir.

Il n'y avait qu'avec son frère, parfois, que Gilles arrivait à déborder du cadre habituel de ses pensées. À travers les projets de Robert, il avait l'impression de combler une certaine attente. Robert, lui, pouvait tout faire. Rien ne lui était interdit. Alors il arrivait à toucher l'enthousiasme de Gilles, celui d'avant.

Inconsciemment, Gilles reportait ses rêves sur Robert...

Ils se rencontraient régulièrement, partageaient un pot à deux, refaisaient le monde ensemble chaque fois.

Comme avant.

Au fil des années, Robert était devenu un homme. Aussi réservé et taciturne que l'adolescent qu'il avait été. Mais c'était Robert et personne n'aurait pu imaginer qu'il fût autrement. N'était-il pas un peu comme leur père? Ce soir, il avait parlé de la nouvelle moto qu'il pensait s'offrir, des quelques projets qu'il avait avec son amie. Robert avait quitté Gilles en lui promettant d'aller magasiner la moto avec lui.

— Promis, Gilles, je t'appelle! Probablement la semaine prochaine...

Gilles attendait donc cet appel avec impatience.

Il était chez sa nouvelle amie quand sa jeune sœur Louise le rejoignit. On cherchait Robert, il ne s'était pas présenté à son travail. Est-ce que Gilles l'avait vu?

Puis, une heure plus tard, un autre appel.

— Reviens, Gilles. On a retrouvé Robert. Il est dans un état critique.

État critique? Le cœur de Gilles cessa de battre pour un instant. Pas son frère. Robert le casse-cou, le cascadeur qui se jouait de tout. La vie l'avait-elle donc rattrapé comme lui? Il sentit viscéralement l'humidité froide d'une certaine nuit de juillet s'abattre sur ses épaules. Gilles eut un frisson convulsif. Son petit frère avait-il connu la peur, lui aussi? Avait-il mal, là maintenant, comme lui avait eu mal?

Quand est-ce que la vie allait enfin se décider à cesser de le torturer? N'avait-elle pas encore compris qu'en touchant les siens c'est lui aussi qu'elle touchait?

Qu'avait-il donc à payer pour qu'elle s'acharnât ainsi sur lui?

Puis une grande colère, une sensation d'injustice immense lui fit précipiter ses gestes. Vite, il devait retourner chez ses parents. Il devait savoir où était Robert, ce qu'il avait eu. Il voulait le voir. Lui parler, lui dire de s'accrocher. Être avec lui.

Et lui tenir la main. Juste lui tenir la main comme il en avait tant rêvé quand il avait eu son accident et que les heures n'en finissaient plus.

Quand il arriva chez ses parents, il y avait une voiture de police garée devant l'entrée. Toutes les lumières de la maison semblaient allumées. La demeure de son enfance lui paraissait effervescente. Peut-être à cause de l'auto de police, tout simplement...

Alors Gilles comprit. Comme ça, brutalement, sachant que son intuition ne pouvait le tromper. Son frère n'était plus dans un état critique...

Ses parents étaient au salon, sa sœur Louise aussi, avec un policier qui vint aussitôt au-devant de lui. Sa mère pleurait et gémissait en se balançant doucement.

— Attendez, c'est à moi...

Charles-Eugène Morin s'était levé dès qu'il avait aperçu Gilles et venait de s'interposer entre le policier et son fils. À pas lents il rejoignit ce dernier et là, debout devant lui, immense comme jamais, il eut ces mots. Durement, sans ménagement.

— Robert s'est suicidé. Dans la clairière du petit bois où il allait souvent. C'est Louise qui l'a trouvé.

Un couperet chauffé à blanc venait de tomber sur le cœur de Gilles. Confirmation de ses intuitions qui lui soufflaient que son frère était mort. Il eut mal comme si l'on venait de lui porter un coup.

Pourquoi ?

Question prévisible, non dite, qui flottait entre le père et le fils sans que personne ne l'eût prononcée. Question presque banale, de circonstance et qui resterait à jamais sans réponse.

Robert était parti comme il avait vécu sans trop parler, sans précisions inutiles.

On ne saurait jamais.

Longuement, Gilles soutint le regard de son père puis il détourna la tête. Brusquement, il avait besoin de voir, de sentir. Il voulait être avec Robert, malgré la mort, malgré l'absence. Robert, c'était son frère, son copain, son confident.

Et lui, Gilles, il n'avait rien vu venir.

Une sensation de culpabilité incroyable l'envahit brusquement. Si forte qu'elle faisait trembler ses mains et fermait son esprit à tout ce qui n'était pas la douleur du moment présent. Sans rien écouter de plus, sans se préoccuper du policier qui semblait s'adresser à lui, marionnette grotesque qui gesticulait et ouvrait la bouche sans qu'il ne l'entendît, Gilles se précipita dehors, se dirigea le plus rapidement possible vers son auto, regrettant cruellement de ne pouvoir courir comme tout son corps le lui demandait.

Un barrage de sécurité l'empêcha d'avancer jusqu'à Robert. Dans la clarté des phares des voitures de police, il devinait le corps de son frère, étendu sur le sol. Ces faisceaux de lumière, comme ceux qui balayaient la nuit quand il avait eu son accident. Et ces voix qu'il entendait comme dans un brouillard, presque irréelles.

— Non, pas là... Préférable pour vous... Parents...

Gilles resta un long moment immobile, laissant l'image de la scène s'imprégner en lui. Comme s'il en avait besoin afin d'être bien certain de ne jamais oublier. Comme si le geste n'avait pas en soi quelque chose d'impérissable, d'indélébile. Et dans sa tête, une seule question, lancinante, sans réponse.

« Pourquoi lui ? Pourquoi lui et pas moi ? »

Il resta longtemps immobile, à regarder la scène, à en revoir une autre. Et cette question, la même, toujours la même : « Pourquoi ? » Il se sentait inutile avec son désespoir grand comme le monde qui ne servait à rien, à personne. Et cela aussi lui faisait mal.

Il revint péniblement vers son auto. Péniblement, très lentement, les jambes en bloc, puis une béquille, puis l'autre comme un curieux animal à trois pattes qui apprendrait à marcher. Parce que ce soir, ses jambes mortes lui semblaient aussi lourdes que du plomb...

Des jours qui suivirent, Gilles ne garda que ce que l'on garde en pareilles circonstances. Le salon funéraire, les condoléances, l'église, le cimetière. Le tout enveloppé d'un voile un peu flou.

Son frère Robert fut enterré un onze juillet.

Cruelle coïncidence.

Il y avait trois ans, jour pour jour, cela aurait pu être lui, car sa vie venait de heurter un mur de pierres qui allait tout changer. La mort n'en avait pas voulu.

Aujourd'hui, c'était son frère qui avait choisi la mort.

Gilles ne comprenait pas.

Après ces quelques jours de formalités, il reprit sa vie exactement là où il l'avait laissée.

Il continua de fréquenter les bars. Il persista à rouler en fou, ne tenant compte d'aucun avertissement. Il se laissait flotter, dériver au rythme des jours.

Pourquoi, Robert ? Tu étais jeune et tu avais la chance d'avoir une vie intacte devant toi. Tu ne le voyais pas ? Mes jambes mortes ne suffisaient pas pour que tu apprécies tout ce que tu avais, toi? Tu aurais pu réaliser tous tes rêves, toutes tes ambitions. Cela ne te suffisait donc pas? Je voudrais tellement que tu puisses revenir, juste un instant et m'expliquer. Parce que je ne comprends pas et que ça me permettrait peut-être d'accepter si je comprenais. Peut-être...

Tu devrais voir comment les gens me regardent depuis que tu es parti. Comme si c'était moi qui aurais dû mourir et pas toi. On me l'a même dit... Peut-être que les gens ont raison. Je ne sais pas pourquoi la mort n'a pas voulu de moi. Que veux-tu que je réponde à ça? Que c'est de ma faute si je suis toujours là et pas toi? Est-ce que je dois m'excuser d'être en vie? C'est souvent ce que j'ai envie de faire. M'excuser puis disparaître. Je me sens de trop, inutile avec ma vie tronquée. Je ne suis plus sûr de rien, surtout pas de moi. On dirait que tout ce que j'approche, tout ce qui m'est cher s'effrite autour de moi et en moi sans que je puisse rien y faire. J'ai l'impression d'être juste un témoin dans ma propre vie. Est-ce comme ça que tu te sentais, Robert, pour avoir eu envie d'en finir? Avoir l'impression que tu n'avais plus aucun contrôle et que tu as préféré t'en aller avant de te voir dégringoler complètement? Reviens, Robert, reviens m'expliquer. Parce que moi, je n'en peux plus de tous ces regards qui ne voient que mes béquilles comme si moi je n'existais pas. Ces regards qui maintenant me ramènent sans cesse à toi, à ton absence. Je m'ennuie, Robert. Je m'ennuie de toi, de notre vie, de l'avenir que tu ne partageras pas avec moi...

Chapitre 6

En quelques petites années, Gilles avait l'impression d'avoir vieilli de toute une vie. Une vie de souffrances à tous les niveaux. La marginalité dans laquelle le destin l'avait enfermé avait tué en lui tout ce qu'il y avait de beau et de grand. Les événements malheureux s'accumulaient sans qu'il ne pût rien y changer et ils l'écorchaient profondément chaque fois. Et lui, plutôt que de vivre chacun de ces moments en soi, pour ce qu'il apportait dans sa vie, accepter les deuils, relever les défis, trouver des façons d'agir conformes à sa nouvelle réalité, se battre pour gagner comme il le faisait auparavant, il ramenait tous ses malheurs à l'accident. Comme s'il était responsable de tout. Il n'arrivait plus à dissocier qui il était de qui il aurait voulu être. Sans qu'il fût capable de le dire ou le penser de façon claire, il lui semblait alors que l'autre Gilles aurait réagi différemment. Lui, il aurait eu la force, le courage d'affronter les revers de l'existence parce que lui, il était un homme à part entière. Ce qu'il ne croyait plus être, avec les conséquences que cela apportait. Il doutait de tout et de lui. Les émotions, les déceptions, les espoirs ne formaient qu'un tout global dans sa tête et il n'arrivait plus à faire la part des choses. Il en ressortait un être difficile à vivre, aigri.

D'où lui venait cette réaction démesurée qui perdurait ? Il ne le sait toujours pas. Il aurait pu réagir et agir différemment. Mais il avait peut-être besoin d'avoir les pieds bien au fond du tonneau pour se donner l'élan essentiel afin de remonter à la surface. Gilles est un être entier qui déteste les demi-mesures. Il en fut donc de l'accident comme de tout le reste. Vivre sa rage et sa déception jusqu'au bout. Avec comme conséquence que ses parents, ses amis, petit à petit, s'éloignèrent de l'homme négatif qu'il était devenu. Au lieu d'y voir un signe, un déclencheur et de s'en servir pour évoluer, Gilles leur en voulait. Il en voulait à la vie de lui avoir joué ce mauvais tour.

Après le décès de Robert, il reprit sa cavale de plus belle, ne voyant absolument pas pourquoi il aurait envie de changer. La vie le laissait tomber, il lui rendait la monnaie de sa pièce. Il se contentait de voguer à la surface des choses. Il avait peur de s'attacher. Il avait peur de souffrir encore plus. Il ne voyait pas qu'il était l'artisan d'une grande partie de cette souffrance.

Il eut quelques aventures sans lendemain.

Puis quelques mois après le décès de son frère, sa tante Lisette mourut à son tour. Arrêt cardiaque. Elle n'avait pas quarante ans. Cette perte-là, aussi, lui fit très mal. Elle était à la fois l'amie, la tante et la deuxième mère. Elle ne l'avait jamais laissé tomber. Et voilà que la mort venait de la ravir en pleine fleur de l'âge. À ce moment non plus, Gilles ne comprenait pas. Pourquoi encore une fois, une souffrance qu'il considérait inutile ?

Allait-on finir par le lâcher ?

Il avait l'impression que c'était après lui que la vie en

avait à travers tous ceux qu'il aimait. Il n'en pouvait plus, il se sentait responsable, il détestait l'image de ses jambes mortes.

C'est lui que la mort aurait dû choisir au lieu de le laisser diminué. Il se sentait couler à pic, il n'avait plus aucun intérêt, les journées s'enchaînaient les unes aux autres comme un chapelet interminable de désillusions et d'ennui.

Il continuait à rouler en fou. Mais il ne savait plus trop si c'était toujours pour se prouver quelque chose ou par défi. Défier la mort jusqu'à ce qu'elle cède. Mais il semblait plutôt clair qu'elle ne voulait pas de lui. Il eut un autre accident dont il sortit indemne malgré le fait que l'auto fût une perte totale.

Le décès de sa tante Lisette l'avait rapproché de Benoit. Ensemble, ils essayaient de comprendre. Chacun à leur façon, ils avaient un deuil à vivre et c'est ensemble qu'ils tentaient de le faire. La présence de son oncle faisait du bien à Gilles. Mais c'était fort peu pour éclairer et donner un sens à toute une vie. Partout où il allait, il sentait les réticences, les reculs. Il entendait les commentaires désobligeants.

Ils finirent par avoir le dessus. Tout comme Robert, il allait prendre sa décision. La décision, la seule qu'il voyait pour mettre fin à son calvaire.

Il avala donc une pleine bouteille d'analgésiques, croyant, espérant que cela suffirait. Il s'endormit le cœur débattant comme un fou avec une nausée si grande qu'elle autorisait tous les espoirs. Le cauchemar tirait à sa fin. Il allait enfin pouvoir se reposer...

Il se réveilla à l'hôpital.

Encore une fois, la mort n'avait pas voulu de lui.

Il aurait peut-être dû comprendre que c'était la vie qui le retenait contre son gré...

Pourquoi est-ce que ça n'a pas marché ? Pourquoi tout ce que j'entreprends ne marche jamais ? Je n'ai même pas réussi à me suicider ! Pourtant, ça aurait été la solution à tout. Pour moi comme pour les autres.

Je le vois bien que je dérange, que je nuis. Je prends de la place partout où je vais. Je me sens de trop partout où je vais. Les gens ne me regardent plus, ils regardent ma chaise ou mes cannes avec hostilité parce que ça dérange. Moi, je n'existe plus vraiment. J'ai l'impression d'être caché en arrière de mon handicap et que je n'en sortirai jamais.

J'ai peur de ne jamais réussir à sortir de ma cachette.

* * *

L'automne était maussade. Un crachin désagréable tombait depuis plusieurs jours et rendait les esprits agressifs. Fin novembre, la clarté était avalée par les deux bouts du jour et se contentait d'une grisaille mouillée pour les quelques heures qui s'étiraient lentement entre matin et soir. L'humeur de Gilles était au diapason de la température, oscillant entre l'abattement et la colère envers et contre tout. Comme cela, sans raison. Depuis son retour de l'hôpital, après sa tentative de suicide, il errait comme un fantôme dans la maison, se heurtant aux murs comme aux gens. Il devenait de plus en plus évident qu'il devrait y avoir des changements dans sa vie. Mais ni Gilles ni ceux qui l'entouraient ne voyaient d'issue claire. Changer d'attitude dans un but précis, c'est réalisable. Changer d'attitude pour changer d'attitude, c'est moins évident. Les exhortations de ses parents restaient donc lettre morte. Le deuil de leur fils Robert était d'autant plus difficile à vivre que leur autre fils n'était là qu'à moitié. Ce n'était pas ce qu'ils avaient voulu pour lui, et cela, bien au-delà de l'accident. Où donc se cachait la force morale qu'ils lui avaient jadis connue? Une fois la perte de ses jambes assumée, il aurait dû réagir, se reprendre en mains. Mais le temps passait et Gilles stagnait. Seules parfois, les présences de Marie, sa nouvelle amie, et de Benoit amenaient une certaine ouverture d'esprit, comme une envie de se porter vers l'avant. Gilles parlait alors d'études, de travail... entre deux visites au bar ou deux contraventions pour vitesse excessive. Pourtant, il aimait sincèrement Marie. Ensemble ils faisaient même certains projets, tentaient de voir à quoi pourrait ressembler l'avenir. Gilles s'était même inscrit à quelques cours qu'il suivait sans grand enthousiasme. Il fallait bien occuper le temps! Invariablement, il revenait sur ses choix, ses décisions. Il n'arrivait pas à faire le saut qui l'aurait amené à vivre normalement, se disant que sans l'usage de ses jambes, il ne pourrait jamais fonctionner comme avant. Il n'avait pas confiance en lui et encore moins dans les autres...

Quand on sonna à la porte, ce matin-là, Gilles n'aurait jamais pu se douter que c'était à cet instant précis que sa vie allait prendre un nouveau tournant. Surtout pas quand il se heurta à un policier qui lui tendait une ordonnance de la cour.

— Monsieur Gilles Morin?

— Oui, c'est moi.

— J'ai ici un ordre de la cour. Un jugement a été rendu contre vous.

Gilles prit le papier, le lut jusqu'au bout et échappa un sourire.

— Et vous voulez que je vous paye ça, comme ça, tout de suite?

— C'est ce qui est écrit.

— Et si je n'ai pas l'argent?

— Alors vous devrez me suivre.

— Ouais, c'est bien ce que j'avais cru comprendre...

Du seuil de la cuisine, sa mère avait suivi toute la conversation. Elle se doutait bien de quoi il était question. On n'empile pas impunément des tas de contraventions sans en subir un jour les conséquences. Et ce n'était pas la première fois qu'elle et son mari en parlaient à Gilles. Mais leurs propos lui avaient toujours coulé comme de l'eau sur le dos d'un canard. En fait, plus rien ne semblait l'atteindre.

— Je crois, Gilles, que tu n'as pas vraiment le choix, intervint-elle finalement devant le silence persistant de son fils.

Ce dernier se tourna vers elle.

— Je l'avais compris, lança-t-il, fataliste.

Puis revenant face au policier.

— Le temps de faire mes bagages et je vous suis.

Gilles savait qu'un jour comme celui-là allait venir. Les avis de convocation à la Cour avaient rejoint les contraventions et s'accumulaient pêle-mêle sur le bureau de sa chambre. Il ne s'était jamais présenté. Le jugement avait été rendu. Il n'avait plus le choix.

Tout en préparant son maigre bagage, il ne put s'empêcher de penser que les mauvaises nouvelles arrivent toujours plus vite que ce que l'on souhaite. Il pensait à

Benoit qu'il ne pourrait voir aussi souvent et c'était dommage. Et Marie, qu'allait-elle dire ? Elle aussi, Gilles devrait s'en éloigner pour un temps et là, ce matin, il comprenait qu'il allait terriblement s'ennuyer d'elle. Plus qu'il ne l'aurait pensé. Saurait-elle l'attendre ? Pourtant, curieusement, en même temps, il se sentait soulagé...

On l'amena à la prison de Rivière-du-Loup. Il y passa la nuit avant d'être transféré dans une maison de transition à cause de son état de santé. Et pour une première fois, il osa penser que son handicap avait peut-être du bon. Et cela dit sans la méchanceté qui lui était devenue coutumière...

* * *

Appuyée sur le comptoir de cuisine, Francine laissait son regard flotter sur la cour arrière de la maison sans vraiment la regarder. Le café s'infusait lentement, la cuisine sentait bon et Gilles était parti depuis hier. Il lui semblait, ce matin, qu'elle retrouvait une partie d'elle-même à travers le calme rassurant de sa maison. Comme si le silence qui régnait en maître en ce moment avait le pouvoir de la réconforter. Elle pensait à Robert, aussi, et le grand vide de son absence lui semblait moins lourd. Comme si subitement il prenait la place normale qui lui était réservée et qu'enfin le deuil qu'elle devait vivre pouvait revendiquer ses droits. Elle se sentait soulagée que Gilles fût parti et en même temps, elle se disait qu'elle était injuste de penser de la sorte.

Perdue dans sa rêverie, elle n'entendit pas son mari Charles-Eugène qui entrait dans la pièce.

— Un peu perdue ce matin ?

Francine sursauta. Puis se tourna vers lui.

— Oui et non... Je dirais plutôt soulagée et je m'en veux un peu.

Sans plus d'explication, Charles-Eugène comprit tout de suite ce à quoi elle faisait allusion. Parce que lui aussi, il se sentait soulagé et que depuis hier, il essayait de comprendre ce qu'il ressentait. Alors il reprit en haussant les épaules.

— Pourquoi t'en vouloir ? Gilles ne récolte que ce qu'il a semé.

— Oui, je sais bien que tu as raison. Mais avait-il besoin de cela en plus de tout le reste ?

— Peut-être, oui, qu'il avait effectivement besoin de ça.

Pendant un instant, Francine resta silencieuse. Son mari avait raison. Et tout au fond d'elle-même, elle le savait. Ce qui ne l'empêchait pas de souffrir pour lui. Aucune mère ne peut voir son enfant partir pour la prison sans ressentir la moindre émotion. Ne fût-ce que de la déception...

— Je sais tout cela, soupira-t-elle enfin. Mais ça ne change rien au fait que c'est dommage que Gilles en soit rendu là et que je me trouve injuste de me sentir délivrée, ce matin. J'ai l'impression qu'on vient de m'enlever un poids énorme des épaules...

— Alors si ça peut te réconforter, je te dirais que c'est la même chose pour moi. Il était temps qu'il se passe quelque chose.

— D'accord, mais la prison...

Charles-Eugène avait haussé les épaules.

— Et après ? Là ou ailleurs, tout, n'importe quoi, il fallait qu'il arrive quelque chose, Francine. Il ne pouvait pas continuer comme il était parti pendant encore bien bien longtemps. Le gars qui vit avec nous depuis toutes ces années n'a rien à voir avec notre fils, avec le Gilles qu'on a connu. Peut-être bien que d'être confronté à lui-même va lui ouvrir les yeux. De toute façon, il n'aura pas le choix : il va devoir arrêter de boire. Et quand bien même ce ne serait que ça, c'est déjà énorme, tu ne trouves pas ?

— Tant qu'à ça.

Pendant un instant, ils se regardèrent en silence. Puis Francine se retourna, servit deux cafés et en tendit un vers son mari.

— Tu vois, Francine, reprit-il alors, je crois qu'on devrait prendre l'absence de Gilles comme un répit. Et je pense qu'on en avait grand besoin.

Et devant le regard sceptique de sa femme, il ajouta :

— Essayons donc de voir dans cet événement une chance qui nous est offerte. La chance de tourner la page. Autant pour nous que pour lui. Je ne sais pas ce que Gilles fera de cet arrêt imposé dans sa vie et j'avoue que malheureusement, on n'y peut pas grand-chose. Par contre, moi j'ai envie d'en profiter pour essayer de retrouver en moi la confiance que j'ai déjà eue en lui.

Francine ne répondit pas. Parce que ce matin, elle ne se sentait plus la force de se battre. Elle était épuisée. La vie l'avait épuisée. Et comme si à travers son silence, Charles-Eugène comprenait tout ce que sa femme vivait, il vint à elle et la prit dans ses bras.

— Oui, je sais que la vie ne nous a pas ménagés depuis quelques années, admit-il comme s'il devinait ses pensées. C'est pourquoi je crois qu'on a le droit de penser à nous.

Gilles nous a habitués à nous tenir en retrait. Depuis son accident, on dirait qu'il a coupé les ponts. Alors faisons comme il le veut. Peut-être bien qu'à son retour tout ira mieux.

Puis, dans un soupir :

— C'est à souhaiter...

* * *

Gilles ne mit pas longtemps à comprendre que l'horaire de la maison de transition avait en soi quelque chose de réconfortant. Un peu comme au centre de réhabilitation. Il n'avait plus le choix de fonctionner, de se conformer aux règles établies et cela ne lui était pas désagréable. Bien au contraire. Il y puisait une sorte de confiance en lui qui était rassurante. Petit à petit, confronté à lui-même et à ses possibilités, l'esprit froid et rationnel puisqu'il ne buvait plus, il avait l'impression de se retrouver, de retrouver une grande partie de lui-même, cette part qu'il croyait disparue à jamais. Et les rencontres avec un psychologue, imposées par le juge en même temps que sa peine d'emprisonnement, n'étaient pas étrangères à cet état de choses. Le thérapeute l'obligeait à fouiller en lui, à travers l'imbroglio de ses émotions. Il devait formuler à la fois les questions et les réponses, délestant ses pensées du négativisme qui les caractérisait depuis l'accident. Il était amené petit à petit à choisir ce qu'il y avait de meilleur en lui.

Enfin, on soignait son esprit avec autant de soin et d'acharnement qu'on en avait mis à stimuler son corps. Il était temps...

Il admit enfin, du bout des lèvres peut-être mais il

l'admit tout de même, que l'accident n'était qu'un accident.

Et que Gilles, d'une certaine façon, restait Gilles.

C'était lui et personne d'autre, ni quoi que ce fût d'autre d'ailleurs, qui avait finalement mis des balises à sa vie.

Le psychologue ne faisait que susciter la réflexion. Gilles emboîtait le pas chaque fois avec une facilité qui le surprenait lui-même. Comme s'il avait espéré ces temps d'arrêt et qu'enfin ils se présentaient à lui. Lentement, il retrouvait une certaine estime de lui-même et il commençait à avoir hâte de sortir de cet endroit pour enfin le partager avec ceux qu'il aimait. Malheureusement, peut-être à cause de l'image qu'il projetait, des préjugés habituels, de la distance inévitable entre lui et les autres, il arrivait souvent que Benoit lui semblât froid au téléphone. Même Marie, parfois, était différente. On aurait dit que Gilles la dérangeait. Il se disait qu'une fois de retour chez lui, tout rentrerait dans l'ordre. Par contre, à chaque appel qu'il faisait à ses parents, ces derniers sentaient dans la voix de leur fils qu'un autre bout de chemin avait été fait et ils partageaient son enthousiasme. Cela faisait longtemps que cela ne leur était pas arrivé, mais ils se surprenaient à avoir hâte qu'il revînt à la maison...

Et les semaines passaient. L'hiver succéda à l'automne puis ce fut le printemps. Pas vraiment chaud, mais on sentait que le règne de la neige tirait à sa fin. Il y avait eu quelques jours de pluie et ce matin, les nuages avaient fini par céder. La brillance du soleil entrait à flots dans la petite pièce qui servait de bureau au psychologue.

Mais ce matin, Gilles n'était pas sensible à ce revirement de la température. Hier, quand il avait téléphoné

Marie, la jeune femme lui avait semblé préoccupée, voire un peu distante. Plus qu'à l'ordinaire. Jamais Ville Dégelis ne lui avait semblé aussi loin qu'à ce moment-là. Il aurait tellement voulu être avec elle pour comprendre ce refroidissement évident à son égard. Paradoxalement, l'enthousiasme de Gilles avait fondu devant cette froideur. Le sommeil l'avait boudé et en se levant, il s'était demandé si toutes ses prises de conscience récentes n'étaient pas finalement que de la poudre aux yeux que le psychologue l'avait adroitement amené à se jeter à lui-même.

— C'est bien beau dire que dans l'essentiel, rien n'a changé, ça ne me redonnera pas mes jambes. Et moi, ce que je voulais faire dans la vie, ça prenait des jambes.

— Et après?

Les deux hommes se faisaient face et pour une première fois, Gilles était sur la défensive avec lui. Pourtant, habituellement, ils s'entendaient bien.

— Comment et après? Mais ça dit tout, non?

— Je ne vois pas.

— Pourtant c'est clair. Je voulais devenir pilote d'avion. J'avais même approché les Forces canadiennes dans ce sens-là. Avez-vous déjà vu un pilote cul-de-jatte, vous? Moi pas.

— Pilote?

— Oui. Pilote. C'était mon rêve.

— Tu viens de dire exactement ce que j'espérais entendre.

— Quoi? Que c'était un rêve?

À ces mots, le psychologue ne répondit pas, obligeant Gilles à se répondre à lui-même.

— Et alors? Personne n'a le droit de rêver?

— Je n'ai jamais dit cela.

Pendant un instant, Gilles resta silencieux, les yeux tournés vers l'extérieur. C'est vrai qu'il faisait beau, ce matin. Encore un peu froid mais beau d'un soleil aveuglant comme seul peut l'être celui du printemps. Puis il ferma les yeux sur ce ciel tout bleu, ce matin, immense. Il se voyait en combinaison de vol, son casque à la main comme dans les films. Il entendait même le rugissement des moteurs, sentait l'odeur de l'huile et de macadam chauffé comme on le respire habituellement dans les aéroports. Comme avant. Combien de fois n'avait-il pas imaginé cette scène ? Combien de fois n'avait-il pas rêvé de ce moment où il serait pilote ? Il ne saurait le dire tellement elles étaient nombreuses. Tellement elles avaient été nombreuses, avant.

Avant l'accident qui avait tout détruit. Qui avait détruit ses rêves, tous ses rêves...

Brusquement, Gilles ouvrit les yeux et son regard tomba sur ses jambes. Il venait de comprendre où le psychologue voulait en venir. Tout ça, ce n'était encore que du rêve. Avec ou sans accident...

— Dans le fond, murmura-t-il, d'abord et avant tout pour lui-même, c'est facile de se dire que ça aurait été possible quand on n'a plus la possibilité de réaliser ce qu'on voulait faire. Et de croire qu'on aurait été le meilleur, le plus grand puisqu'on ne pourra jamais le vérifier. C'est facile de dire que l'accident est le seul responsable puisque je ne pourrai jamais faire mes preuves. Peut-être bien, après tout, que ça n'aurait pas marché comme je le croyais... Et l'accident n'a rien à voir avec ce que j'aurais pu faire ou non.

Puis au bout d'un autre silence, il ajouta :

— Et si ça n'avait pas marché, j'aurais bien dû chercher ailleurs. Dans le fond, où est la différence ? Je n'ai qu'à chercher ailleurs...

Il leva enfin les yeux vers l'intervenant.

— Même si j'ai l'impression que ça ne sera pas facile. Même si j'ai l'impression que de trouver autre chose, ça ressemble à un deuil.

— Il n'y a rien de vraiment facile, Gilles. Pour personne. Et des deuils, on en vit tous.

— C'est vrai. Mais par où commencer ? Qu'est-ce que je peux faire avec ça ?

Tout en parlant, Gilles pointait ses jambes. Alors le psychologue se permit d'intervenir directement.

— Est-ce que Gilles Morin est uniquement une paire de jambes ? Non, n'est-ce pas ? Gilles Morin, c'est un tout complexe comme le sont tous les humains. C'est sûr que ta vie est différente de celle que tu avais imaginée. Et pourquoi pas ? Tu n'es pas le seul à te réveiller un bon matin devant un avenir que tu n'avais pas prévu. Et l'accident n'est que le prétexte à ce changement. Ça aurait pu être une tonne d'autres raisons.

— Peut-être...

Regardant l'intervenant droit dans les yeux, Gilles ajouta :

— Pourquoi est-ce que personne ne m'a parlé comme ça avant ?

— Est-ce que tu te donnais la peine d'écouter ?

Gilles ne sentit pas le besoin de répondre. Le psychologue avait raison. Depuis son accident, il s'était enfermé dans une frustration qui le rendait sourd et aveugle. D'une certaine façon, Gilles Morin était bel et bien mort dans le fond d'un fossé par une belle nuit de juillet.

Il était temps qu'il revînt à la vie. Il avait cette chance de revenir à la vie.

Il ne savait encore ni le comment, ni la destination des choses. Il commençait à peine à en comprendre le pourquoi. Mais à ses yeux, c'était déjà un bond de géant.

Dans quelques semaines, il quitterait la maison de transition. Il n'en tiendrait qu'à lui, à ce moment-là, de recommencer à vivre.

Tout doucement, en tenant compte de ce qu'il était et de tout ce qu'il avait vécu. Renier aurait été inutile. Il fallait qu'il apprît à accepter.

Et Gilles commençait à comprendre qu'accepter, c'était aussi une façon de dépasser ses limites.

Le vendredi suivant, il eut la permission de retourner chez lui pour la fin de semaine. Enfin ! Ses parents lui manquaient, il s'ennuyait de Marie, il avait hâte de reprendre ses discussions avec Benoit. Ses parents étant absents, il décida d'appeler Marie pour qu'elle vînt le chercher. Malheureusement, elle était prise. Et semblait même fort mal à l'aise de cet appel.

— Par contre, on pourrait peut-être se voir demain ?

Plutôt vague et décevant comme accueil. À l'instar des dernières conversations téléphoniques qu'il avait eues avec elle. Gilles sentait son cœur battre un peu plus fort que la normale en se répétant que l'attitude de Marie était probablement naturelle après une si longue absence... Il appela alors Benoit pour lui demander s'il pouvait venir. Lui aussi était absent.

— Pour toute la soirée. Il est à Ville Dégelis.

Ville Dégelis... Pourquoi Ville Dégelis ? Qui Benoit connaissait-il à Ville Dégelis ? Ce fut comme un coup à l'estomac. Non pas une simple intuition mais une certitude. Fulgurante, brutale. Il recomposa le numéro de chez Marie.

— Oui, bonjour. C'est encore moi. Est-ce que je pourrais parler à Benoit, s'il te plaît ?

Son oncle était bien là. Marie n'hésita pas et lui passa Benoit. Mais Gilles n'avait plus rien à lui dire. Il raccrocha et du regard chercha une chaise. À défaut d'avoir les jambes flageolantes, le tremblement de ses mains le rendait instable. Il se laissa tomber sur un banc de métal. Tout s'éclairait, tout devenait même limpide comme de l'eau de roche. Entre partager sa vie avec un gars de bar, sans but ni avenir et un père de famille établi, le choix de Marie n'avait pas été très difficile à faire. Et pour une première fois, Gilles eut l'honnêteté de se dire que ses jambes n'y étaient pour rien. C'était ce qu'il était devenu, mis en relief adroitement par un homme en qui il avait entièrement confiance qui l'avait cloué au plancher. Car c'était exactement comme ça qu'il se sentait. La façon d'agir de son oncle, qui avait profité de son absence pour lui jouer dans le dos, était déloyale. L'attitude de Marie qui lui avait emboîté le pas n'était guère mieux. Pourquoi n'avoir rien dit ? Pourquoi tout avoir tramé à son insu ? Gilles se sentait trahi, sali. Et cela, bien au-delà d'une rupture qu'il n'avait pas vu venir. Benoit n'avait pas le droit d'agir comme il l'avait fait, même si probablement tout ce qu'il avait dit n'était pas loin de la vérité... Même si le jeu des attirances avait pu faire pencher la balance, Marie aurait dû tout lui avouer et Benoit aurait dû lui en parler.

Honnêtement, d'homme à homme comme on le fait avec un frère, un fils, un ami...

Gilles était blessé, attristé mais aussi en colère, comme on peut l'être devant une trahison.

Mais cette fois-ci, c'était une bonne colère. De celles qui nous donnent envie de tout balayer d'un coup.

Il revint lentement à sa chambre et attendit le retour de ses parents pour qu'ils puissent venir le chercher.

Il avait envie de faire le point avec eux.

La vie venait de lui faire signe. Il savait ce qu'il devait faire maintenant. Et ce qui n'était qu'un vague projet depuis quelques jours devint une obligation pour lui: il quitterait la région et irait tenter sa chance à Québec. Seul ou avec Marie, quelle importance?

Il n'avait plus rien à faire ici...

Il en avait assez de tous ces regards qui fixaient d'abord ses cannes et ensuite son visage.

Et il savait que ses parents le comprendraient, le soutiendraient...

Est-ce que ça va finir un jour?

Est-ce que Gilles Morin va enfin trouver sa place et la garder?

C'est la première fois depuis des années, depuis une éternité que j'ai envie de dire oui. Il faut que je dise oui parce que sinon, jamais je ne m'en sortirai.

J'ai toujours aussi peur de ne pas être capable, peur du jugement des autres, des regards qui se posent sur moi. Mais pour une première fois depuis l'accident, j'ai envie d'aller au-delà de tout ça. Essayer, juste essayer d'aller plus loin. Peut-être bien que la colère que je ressens envers mon oncle y est pour quelque chose ? C'est le genre de colère qui donne envie de se battre. Qui donne envie de tout détruire, de tout recommencer. Et c'est ce que je vais faire.

Je pars.

Je laisse derrière moi cette période noire de ma vie. Je ne veux plus avoir envie de pleurer, je ne veux plus de pitié dans les regards, je ne veux plus d'intolérance à mon égard. Et je n'ai pas envie de changer les opinions et les gens d'ici. Il n'y a plus rien pour moi, ici.

Alors je pars. Mais j'ai peur. Je n'ai plus d'argent, je n'ai rien devant moi. J'ai peur encore une fois de tout rater, de ne pas y arriver.

Mais je vais essayer. Essayer de me tenir debout dans ma tête à défaut d'être debout sur mes deux pieds.

Peut-être bien que ça va réussir.

Peut-être bien que c'est là que se trouve le secret pour s'en sortir. Oublier l'extérieur et se concentrer sur l'intérieur. C'est le psychologue qui le dit. Et s'il avait raison ?

Je pars avec des milliers de questions sans réponses qui me tournent parfois en bourrique. Des incertitudes, des craintes, des embûches aussi, à cause de ma mobilité réduite.

Mais je vais essayer de m'en sortir. Juste pour moi. Il faut que j'apprenne à oublier les autres et leurs regards qui me font peur. Il faut que je sois au-dessus de ça. En me concentrant sur moi, peut-être bien que je vais y arriver. C'est peut-être la façon de faire. La seule façon de faire…

Je ne sais pas, je ne sais trop.

Je pars sans un sou, les handicapés n'ont pas droit aux prêts étudiants et la bourse est maigre. Mais c'est comme ça et me révolter ne changerait rien à la situation. Ça, c'est une chose que j'ai apprise ces dernières années : la révolte que l'on sème ne donne pas une bien grande récolte. Le fruit qui en résulte est amer. De toute façon, je n'ai plus envie de perdre mon temps. J'en ai déjà assez perdu.

Je pars pour essayer autre chose, autrement.

Si rien ne marche, on avisera…

Mais ça va marcher. Enfin, je sens en moi cette rage de réussir à tout prix comme avant. J'ai besoin de croire que ça va réussir, j'ai envie de me faire confiance comme je le faisais avant l'accident et me dire que je suis capable d'y arriver. Me donner les preuves que finalement, Gilles Morin n'a pas tant changé que cela.

Gilles Morin va reprendre la place qui est la sienne.

Ne reste peut-être qu'à trouver où elle se cache, cette fichue place. Il doit bien y avoir quelque chose, quelque part pour moi sur cette terre, n'est-ce pas ?

Alors je pars pour essayer de trouver tout ça, à commencer par me retrouver moi-même et la foi que j'ai déjà eue en la vie. Cette confiance-là aussi doit encore exister, ne reste qu'à la trouver. Ou peut-être tout simplement lui permettre de s'exprimer ?

Je pars vers l'inconnu comme la plupart des jeunes, finalement. Le fait de marcher avec des cannes ne changera pas cette réalité-là. C'est juste que j'ai quelques années de retard sur l'horaire prévu. Mais quelle importance ? L'essentiel c'est d'arriver à bon port, n'importe où, aujourd'hui ça m'importe peu. L'essentiel, c'est d'y aller à mon rythme. Comme un alcoolique qui a décidé de cesser de boire, je vais prendre les choses une à la fois, un jour après l'autre. Et me convaincre que les échecs ne sont pas nécessairement des défaites.

J'ai un trac fou, je sens mon cœur qui bat à toute allure mais malgré tout, j'ai envie de dire « à la grâce de Dieu ! »

Chapitre 7

Quelques semaines plus tard, Gilles revint chez lui pour de bon. Sa peine avait été purgée, il avait payé son dû à la société, il était enfin libre. Il profita donc de l'été qui battait son plein pour finaliser ses projets. Il avait besoin d'une autre auto, il devait s'inscrire pour suivre des cours à l'automne et il voulait se trouver un appartement. Toutes ces choses qu'il rejetait depuis tant d'années, alléguant que son accident lui avait fermé les portes de l'avenir, tous ces buts et ces envies qu'il remettait toujours à plus tard lui tenaient aujourd'hui tellement à cœur qu'il ne comprenait pas pourquoi cela avait pris autant de temps avant d'en prendre conscience.

Son handicap lui avait servi de prétexte pour justifier sa désertion face à la vie. Il admettait enfin avoir opté pour la solution de facilité et, lorsque ses parents et ses amis disaient ne pas le reconnaître, ils avaient raison. Le batailleur en lui s'était laissé berner. D'être privé de sa liberté, la vraie, celle d'aller et venir où bon lui semble, celle de manger ce dont il a envie, celle de se coucher à l'heure voulue, la perte de cette petite liberté du quotidien que nous tenons toujours pour acquise lui avait enfin fait comprendre à quel point il tenait à vivre normalement. Le sevrage de l'alcool et des drogues douces avait fait le reste.

Gilles avait l'impression de s'éveiller après un long sommeil et qu'il lui fallait maintenant rattraper le temps perdu.

Il voulait vivre, vivre…

Et en même temps, il avait l'impression d'être celui qui, devant un pronostic fatal, profite des quelques mois qui lui restent pour mettre toutes ses choses en ordre. Il lui semblait devoir rattraper tout ce qui avait dérapé dans sa vie avant de passer à autre chose.

Et en quelque sorte, c'était exactement ce qui se passait. La vie qu'il menait depuis toutes ces années n'avait aucune chance de se poursuivre. Elle était moribonde dès le départ. L'homme n'est pas fait pour vivre en solitaire. Et c'est ce qu'il s'était imposé depuis l'accident. Non pas de façon consciente mais par réflexe. Parce qu'il avait peur. Peur de lui probablement, à travers le regard des autres.

Gilles avait peur, tout simplement, de ne pas être à la hauteur du défi que la vie lui lançait. Et c'est maintenant qu'il l'admettait enfin.

D'être tenu à l'écart pendant six mois lui avait fait comprendre à quel point, finalement, il ressemblait à tout le monde : il avait terriblement besoin des autres pour fonctionner normalement. Depuis trop longtemps maintenant, il rejetait ces autres de façon tout à fait délibérée hors de sa vie. D'être isolé lui avait enfin ouvert les yeux. Avec ou sans jambes fonctionnelles, il restait un homme comme tous les autres. Et comme tous les autres il avait ses fragilités et ses forces.

Il en avait surtout assez de tout voir dégringoler autour de lui. La vie ne l'avait pas épargné. Il en convenait.

Mais au-delà de l'accident et des deuils où il n'avait rien eu à dire ou à faire, il restait une multitude d'événements où il s'était fait l'artisan de ses malheurs. Car personne n'est attiré par un être sombre et complexe. Et c'est ce qu'il était devenu. Gilles en avait assez de tous ces regards de pitié qui se posaient sur ses cannes avant de se durcir quand ils remontaient à son visage.

Mais qui était responsable de cet état de choses?

De jour en jour, revenu chez ses parents, il écoutait et regardait autour de lui. Petit à petit, il comprenait…

Par son attitude, il avait lui-même créé ces regards, il avait appelé la pitié. À force de tourner en rond sur lui-même, il avait oublié que les pas sont aussi faits pour avancer.

Alors qu'il était plein de haine envers la vie et les gens quelques mois plus tôt, il se sentait devenir compréhensif, plus tolérant.

Par contre, il n'avait pas envie de se battre pour changer les gens autour de lui, pour leur donner une raison de modifier leurs regards, justement. Il sentait qu'il fallait garder ses énergies pour autre chose, garder cette volonté nouvelle pour lui-même. Le reste suivrait en temps et lieu. Il lui fallait donc partir, quitter son patelin. Gilles avait la conviction absolue que d'être ailleurs, de tout reprendre au point de départ, de faire table rase de ces années stériles lui ouvrirait enfin des horizons nouveaux.

Il avait envie d'aller voir ailleurs ce qui s'y passait. La vie ne s'arrêtait pas à son petit coin de pays. De vivre en reclus, confiné à une chambre, à une bâtisse pendant des mois lors de son passage à la maison de transition lui avait rappelé à quel point le monde était vaste. À quel point il avait déjà eu envie de l'explorer.

Il était temps qu'il se décidât à partir.

De nouveau, Gilles rêvait de grands espaces, tout comme avant quand il rêvait d'être pilote d'avion.

Tout comme avant, il avait l'impression de trépigner devant la vie.

Gilles venait de se retrouver...

* * *

Gilles était attendu à l'université pour la semaine suivante. Dans un premier temps, cours de rattrapage pour se remettre dans le bain. Et cela lui plaisait assez. Il aurait ainsi le temps de voir venir parce que pour l'instant, il aurait été bien en peine de dire ce qui l'attirait vraiment. Droit, psychologie... Assez loin merci de ses ambitions premières ! Mais peu importait, il allait trouver...

Quelques visites éclair à Québec pendant l'été lui avaient permis de dénicher un logement à sa convenance. Rez-de-chaussée, en banlieue, pas trop cher, sur la rive sud à St-Romuald. Comme en transition entre sa campagne et la grande ville.

Pour la première fois de sa vie, Gilles Morin était chez lui. Un petit chez-soi tout simple, bien modeste mais qui lui appartenait, et seulement à y penser il redressait les épaules. Un premier pas venait d'être franchi. Un pas vers la liberté, un pas vers la véritable autonomie, celle dont Isabelle, la physio du Centre François-Charron, lui avait parlé.

L'été avait filé sans qu'il ne le vît. Exactement comme quelqu'un qui vient d'apprendre qu'il est atteint d'une maladie incurable, Gilles avait vraiment tout réglé dans sa vie avant de quitter sa famille. Il ne voulait pas que de petites choses ou de plus grandes viennent ternir son départ. Il voulait partir l'esprit en paix, tourner véritablement la page, se tourner tout entier vers l'avenir sans aucun regret.

Il avait appris par des amis communs qu'une petite fille était née de cette courte aventure qu'il avait eue avec une jeune femme d'une localité voisine. Il avait tenté de la joindre, avait voulu l'aider, mais il s'était heurté à un mur. Pas question que Gilles revînt dans sa vie… Il n'avait pas insisté. Non par dépit ou par rancune, même s'il eût bien aimé voir ce petit bébé qui avait fait mentir les médecins : il n'était pas stérile comme on le lui avait annoncé. Il aurait voulu la voir, cette petite fille, mais il n'insista pas. Par respect peut-être, ou pour donner une nouvelle chance à la vie en lui faisant confiance. Le destin ferait en sorte qu'un jour, peut-être…

Au hasard de ses déplacements, il avait aussi rencontré Marie. Et si pour lui il était hors de question de revoir son oncle Benoit, par contre, il profita de ce moment pour mettre les choses au clair avec elle. Il pouvait comprendre que personne n'est à l'abri d'une attirance naturelle pour un autre. C'était le silence qui avait entouré cette relation, alors qu'il était tenu à l'écart en maison de transition, qui l'avait le plus blessé dans toute cette histoire. Le silence et l'attitude de deux êtres en qui il avait confiance. Autant Marie que Benoit s'étaient joués de lui, avaient profité de ses faiblesses pour justifier leurs gestes. À ses yeux, c'était inacceptable. On ne frappe pas quelqu'un qui est au plancher, et c'était là exactement la sensation que cette mésaventure avait laissée sur lui. Et de l'avouer lui faisait du bien, tout simplement, sans fausse pudeur, sachant qu'en le disant à Marie, Benoit aussi le saurait. Pour l'instant, cela suffisait. Il ne voulait surtout pas de confrontation avec son oncle. Trop de temps, d'émotions, de souvenirs intimes le reliaient à cet homme pour que Gilles pût le voir froidement. La blessure était encore trop fraîche, trop sensible...

Quand il quitta enfin ses parents, au volant de sa vieille auto, une voiture normale sans adaptation aucune — ce qu'il voyait comme une autre petite victoire personnelle qui faisait mentir les médecins, car son bassin permettait enfin une certaine mobilité des jambes — Gilles avait l'esprit et le cœur en paix. Bien sûr, il était nerveux, un peu triste de quitter les siens. Mais il savait qu'il n'avait pas le choix. Comme tout le monde, à un moment de sa vie, il faut couper le cordon. Et c'est ce qu'il faisait.

À vingt-quatre ans, Gilles Morin prenait sa vie en mains...

Avec l'impression d'être en peu en retard sur l'horaire prévu, mais il se sentait désormais assez fort pour prendre les bouchées doubles...

Ne lui restait maintenant qu'à se créer une petite vie à sa mesure. Une vie normale avec ses joies et ses difficultés. Une vie qu'il aurait choisie, finalement, à sa ressemblance. Ce qui n'était pas vraiment évident. Gilles était un gars de groupe, quelqu'un qui avait toujours eu beaucoup de gens autour de lui. Et, à Québec, il ne connaissait personne... ou si peu. Il choisit de jouer sur ce «si peu»... et se présenta au Centre François-Charron où il avait toujours gardé des contacts. De toute façon, un brin d'entraînement ne lui ferait pas de tort.

Et c'est ainsi que commença une nouvelle tranche de vie. Gilles ne savait pas encore où cela le mènerait, ce qu'il en tirerait. La seule chose qui lui semblait réelle : sa nouvelle vie ne pourrait être pire que ce qu'il venait de traverser.

Rien, jamais, ne pourrait être pire que les années d'enfer qu'il avait vécues...

Quand il se présenta ce matin-là à l'université pour chercher son horaire et quelques livres, il avait déjà réussi à se bâtir une routine qui lui convenait. On a tous besoin des repères du quotidien qui rassurent. Il arrivait à se débrouiller tout seul, s'inventait des trucs pour fonctionner normalement avec ses béquilles, ce qui n'était pas toujours évident, en tirait à chaque fois une petite satisfaction qui lui faisait du bien. Désormais, il ne comptait pas réussir sa vie avec un grand R, mais il apprenait petit à petit à tirer profit et joie de chacune des petites victoires qui ponctuaient le cours des journées. Une rencontre imprévue, une discussion intéressante, un souper agréable... Le regard qu'il posait désormais sur les gens et les événements était différent. Il en était conscient et, malgré les découragements, le manque flagrant d'argent — il ne recevait plus aucune indemnisation, ayant épuisé ce que le gouvernement lui avait alloué —, les envies même parfois de tout laisser tomber, il serrait les dents et s'obligeait à conserver ce regard neuf.

Il avait envie de donner une chance au coureur...

On venait de lui remettre ses livres, son horaire. Autour de lui, la faculté grouillait de monde. On entendait des rires, des exclamations. Les étudiants se retrouvaient après les vacances et l'atmosphère baignait dans cette euphorie propre aux rentrées scolaires. De la première année jusqu'à l'université, il y aura toujours cette senteur de neuf qui accompagne les jours de rentrée. Comme une chance de tout reprendre à zéro, de faire mieux... Embarrassé par ses sacs et ses béquilles, c'était à cela qu'il pensait, Gilles : cette chance qu'il venait de se donner. Mais dans son cas, elle allait bien au-delà d'une simple rentrée scolaire. Lui, c'était sa rentrée dans la vie qu'il venait d'effectuer. Oui, une chance, un cadeau qu'il s'offrait, même si cela risquait d'être plus difficile que prévu sur tous les plans. Ainsi, quand un homme le voyant empêtré dans ses sacs lui ouvrit la porte pour qu'il pût sortir sans encombre, Gilles le remercia d'un sourire. Sans le savoir, cet homme venait de lui apporter une petite preuve : on doit toujours garder confiance, car la vie, parfois, se charge toute seule de nous venir en aide.

— C'est agréable de voir qu'on apprécie les bonnes intentions.

Gilles leva les yeux vers celui qui lui tenait la porte toute grande ouverte et l'interpellait ainsi. Il fronça les sourcils.

— Je ne comprends pas...

— C'est pourtant simple ! La dernière fois que j'ai voulu aider quelqu'un comme je viens de le faire avec vous, c'est une volée de bêtises que j'ai reçues par la tête. Un vrai sermon sur les attitudes sociales qui ne tenaient jamais compte de ce que vivaient les handicapés, qu'il n'avait pas besoin d'aide, qu'il était normal comme tout le monde, qu'il en avait assez de la pitié des gens. Et j'en passe et des meilleures ! Et j'avoue que cela m'avait blessé...

Pendant un moment, Gilles ne dit rien. Il se revoyait,

agissant exactement comme l'homme venait de le décrire, s'offusquant d'une porte que l'on ouvrait pour lui, d'un paquet que l'on s'offrait de porter à sa place… Et brusquement, il comprit qu'à vouloir être normal à tout prix, on fermait soi-même les portes devant soi… Et pourquoi? Il leva alors les yeux vers l'inconnu.

— Je crois bien que c'est la frustration qui fait parler et agir les gens comme vous venez de le décrire. Oui, la frustration. Celle de se faire remettre en pleine face sa condition de handicapé… Tant qu'on n'a pas accepté cette différence, on agit ainsi. Le jour où on accepte que désormais la vie ne sera pas tout à fait conforme à nos prédictions, ça change.

Pendant un moment les deux hommes se regardèrent en souriant.

— D'accord, je peux comprendre. C'est pas nécessairement évident pour moi, mais je peux essayer de comprendre…

Puis il tendit la main, par réflexe, s'aperçut aussitôt de l'inutilité du geste, prit le parti d'en rire devant la moquerie qui traversa le regard de Gilles incapable de lui répondre, les mains accrochées à ses sacs et à ses béquilles.

— Je m'appelle Jacques Mercier.

— Et moi, Gilles Morin.

— Pressé? Le temps de prendre un café?

— Et pourquoi pas?

Gilles se redressa, regarda ses sacs, leva les yeux vers Jacques.

— Je suis nouveau ici. C'est loin pour aller prendre un café? Parce que si c'est le cas, je te demanderais de m'aider avec tout ça…

— C'est dans la bâtisse à côté. Donne-moi tes sacs…

Les deux hommes se dirigèrent vers le bâtiment connexe en parlant de l'année qui commençait. Jacques était professeur et entraîneur de basket dans ses moments libres. Gilles avoua sa crainte devant les études qu'il reprenait après toutes ces années. Puis Jacques alla chercher des cafés. C'est au moment où il déposait les verres de styromousse sur la table qu'il osa demander :

— Dis donc, toi, tu n'as jamais pensé faire du sport ?

À cette mention, le regard de Gilles s'illumina. Et d'un seul coup, des milliers d'images, de souvenirs refirent surface.

Du sport ? Oui, avant je…

L'éclat de plaisir ayant traversé les yeux de Gilles n'avait pas échappé à Jacques. Il s'accouda sur la table et regarda son vis-à-vis en souriant.

— Non, ce n'est pas ce que je veux dire… Qu'est-ce que tu dirais de faire du sport en chaise roulante ?

Gilles ouvrit de grands yeux avant de froncer les sourcils.

— Du sport en chaise roulante ?

Puis il haussa les épaules.

— Non, pas vraiment. Tu sais moi, les chaises roulantes…

— Pourtant tu as le physique de l'emploi, l'interrompit Jacques avec enthousiasme.

— Tu crois ?

— Oui. Et je sais de quoi je parle : je suis entraîneur d'une équipe de basket en chaise roulante.

* * *

Pendant quelques jours, l'idée de faire du sport lui trotta dans la tête puis Gilles s'obligea à la remiser dans un coin reculé de son esprit. Jamais il ne trouverait suffisamment de temps pour ajouter quoi que ce soit à son horaire. Déjà qu'il avait l'impression d'être coincé entre ses cours, les études, l'entraînement au Centre François-Charron et le travail qu'il s'était déniché pour les fins de semaine dans une entreprise de produits orthopédiques...

La décision se prit finalement à son corps défendant.

Quand il arriva au Centre, ce soir-là, un gars qu'il était habitué de voir s'entraîner semblait s'amuser comme un fou dans le gymnase.

— Eh! Regarde, Gilles!

Il venait de recevoir un nouveau modèle de chaise roulante, ultra légère, maniable.

— C'est génial! Avec ça, je vais réussir tous mes paniers!

— Tes paniers?

— Tu ne savais pas? Je fais partie d'une équipe de basket...

Puis se tournant sur lui-même, il s'élança vers le fond du gymnase, revint face à Gilles en manipulant la chaise d'une seule main, s'élança de nouveau.

— Oublie ça, mon vieux, on va faire un malheur...

Puis il s'arrêta brusquement devant Gilles.

— Dis donc, toi, pourquoi est-ce que tu ne viendrais pas au camp d'entraînement?

— Ouais... On m'en a déjà parlé...

— Et alors? Tu n'as rien à perdre. Essaie. Si t'aimes pas ça, t'auras juste à laisser tomber.

Puis bifurquant encore une fois, il lança par-dessus son

épaule en se propulsant rapidement vers l'autre bout de
la pièce :

— Mais je suis certain que tu vas aimer ça : c'est génial...

Le camp avait lieu en octobre. Gilles y repensa
sérieusement. Par principe, il s'obligea à faire l'inventaire
des objections, des avantages, des pour et des contre et finalement s'y présenta. Juste pour voir...

Jacques l'accueillit avec une visible satisfaction.

En quelques jours, Gilles comprit qu'il avait un talent
naturel pour ce sport. En quelques semaines, les entraînements, les parties et les tournois devinrent essentiels
à ses yeux et s'intégrèrent harmonieusement à son horaire.

— Comme quoi, murmura-t-il un soir en revenant
chez lui, fourbu mais heureux, quand on veut, on peut !

Gilles mit alors autant d'efforts et d'énergie à s'entraîner qu'il en avait déjà mis à détester la vie.

Le monde des handicapés qu'il avait toujours voulu
fuir lui donnait enfin une façon de se réaliser qui lui permettait de se dépasser.

Gilles venait de trouver un défi à relever, un but à atteindre réaliste qui sollicitait les énergies latentes en lui.

L'homme qu'il était venait de s'éveiller pour de bon à
travers le sport. Ses réflexes reprenaient le dessus, son
envie de vaincre aussi.

Sa vision du monde s'ajusta à cette nouvelle vision que
la vie lui offrait.

Je suis heureux. Je me sens bien dans ma peau.
Cela fait combien de temps déjà que je n'ai pas dit une

telle chose ? Est-ce que je pensais seulement avoir la chance de dire ces mots un jour ?

Le sport est comme une libération pour moi. Et une révélation. Ça fait du bien de se sentir fort, grand à nouveau. Ça fait du bien de se sentir un homme à part entière.

Et ça me donne envie de dépasser toutes les limites que je m'imposais. Parce que c'est moi qui m'imposais des limites. Je l'ai enfin compris. Les aléas du quotidien ne sont rien, finalement. Que des détails que j'arrive généralement à résoudre. C'est en dedans de moi que la vraie liberté existe. Et ce ne sont pas que des mots, je le ressens vraiment.

Alors pour l'instant, le seul vrai problème, et il est quand même important, c'est l'argent.

Je n'arrive pas à joindre les deux bouts. J'en ai assez d'avoir faim... J'ai beau me répéter que c'est le lot de la majorité des étudiants, ça ne paie pas les factures pour autant !

Et cette situation me fait peur. J'ai peur de lâcher prise encore une fois. Ce n'est pas toujours facile de garder confiance, de se dire que tout va s'arranger. Pour l'instant, je ne vois pas comment je peux m'en sortir. Je suis essoufflé, fatigué. Le travail que j'ai ne suffit plus, il faut que je trouve autre chose. Mais quoi ?

Et c'est à ce sujet que mon handicap revient me hanter. Il se mettra toujours en travers de ma route. Que je le veuille ou non, il restera des limites à mes capacités, à ma volonté. Ça me demande vraiment un effort conscient pour ne pas me laisser aller.

Une chance que j'ai l'entraînement. Tant pis s'il me reste moins de temps pour autre chose, quand je suis dans un gymnase, j'oublie tout le reste.

Et c'est important. Le sentiment d'appartenance à un

groupe aussi. J'ai toujours été un gars de gang et ça me fait un bien immense de retrouver une gang, justement. J'en ai besoin.

* * *

Finalement, les problèmes d'argent ajoutés à une fatigue généralisée face au quotidien finirent par avoir le dessus sur la bonne volonté de Gilles.

L'estomac creux, il revint chez lui pour quelques semaines de vacances. Quelques semaines pour comprendre que sa place n'était définitivement plus dans le bas du fleuve. Hormis sa famille et quelques amis très proches qui ne l'avaient jamais abandonné, plus rien ne le retenait vraiment. Les regards ici n'avaient pas vraiment changé...

L'entraînement lui manquait. Son équipe aussi.

Instinctivement, Gilles comprenait qu'il était en train de planter ses racines ailleurs, qu'il avait commencé à tisser des liens nouveaux qui l'attiraient vers Québec. Sa sœur Louise lui permit d'en prendre vraiment conscience et elle promit de l'aider.

— Ne t'inquiète pas, on va essayer de faire quelque chose. Mais, il va falloir que toi aussi tu cherches des solutions. Essaie de te trouver un nouveau travail et en attendant, on va voir ce qu'on peut faire. Mais une chose est sûre : tu n'as plus rien à faire ici. Tu n'as aucun intérêt à rester dans le coin.

Gilles l'admit facilement. Et il s'ennuyait de Québec... Quand il repartit vers la capitale, il avait l'impression d'avoir repris son souffle et le moral était remonté de quelques crans.

Il choisit de faire confiance.

Et il reprit l'entraînement avec un plaisir toujours

aussi vif qui allait même en croissant. Les tournois devinrent sa récompense. Il voyageait, rencontrait des gens et avait ainsi la chance d'oublier ses problèmes pour un temps.

Petit à petit, il laissait sa trace, et le talent qu'il avait à manipuler ballon et chaise le faisait remarquer.

C'est alors qu'on lui offrit un nouveau travail dans la vente automobile. Comme ça, à la suite d'une partie où il s'était particulièrement illustré.

— T'es un gars agressif. Ça me plaît bien. J'ai besoin de gens comme toi dans mon équipe de vendeurs. Ça te tente d'essayer?

Gilles accepta et décida de loger en chambre le temps qu'il fallait afin de vraiment se remettre sur les rails financièrement.

Le cercle d'amis qu'il avait au sein de l'équipe de basket lui permettait de garder le moral. Et Gilles appréciait beaucoup les invitations à souper, il avait alors le ventre moins creux!

Et comme toujours quand on s'en donne la peine, les choses se placèrent peu à peu. Oubliant les études momentanément, il consacra son temps à ce nouveau travail qui lui plaisait et lui laissait un peu plus de temps pour l'entraînement. Ce travail de vendeur, c'était vraiment ce dont il avait besoin! Il devint un véritable tremplin vers une nouvelle qualité de vie, une certaine sécurité financière qui faisait du bien.

Il se mit alors à performer vraiment... et commença à gagner tournois et mentions individuelles. Les journalistes voulaient le rencontrer, les gens lui demandaient entrevues et conférences. D'une partie à l'autre, Gilles reprenait confiance en lui. Il avait réussi quelque chose de différent, quelque chose à son image et il en était fier.

De nouveau, il se sentait un homme à part entière.

Et en dehors des parties et de l'entraînement où tout se faisait en chaise roulante, Gilles avait finalement réussi à faire mentir les médecins : il ne se déplaçait maintenant qu'avec ses cannes et avait réussi à redonner une certaine vigueur à ses jambes. Il parvenait même à les contrôler jusqu'à un certain point. Elles n'étaient plus le poids mort d'avant...

Gilles Morin marchait de nouveau debout, droit, sans l'aide de personne.

Et lorsqu'un jeune garçon reconnut Gilles dans un restaurant et lui demanda un autographe, après une partie, pendant que ce petit bout d'homme le regardait avec une lueur d'admiration dans les yeux, il s'avoua qu'il ne pourrait plus s'en passer.

En effet, c'était la première fois depuis des années que Gilles avait la certitude que maintenant, quand les gens le regardaient, ils voyaient l'homme, l'athlète et non le handicapé. Désormais, la chaise roulante ou les béquilles n'étaient plus des accessoires créés pour le stigmatiser, ils faisaient partie intégrante de ce qu'il était. Comme d'autres portent des lunettes...

De nouveau, Gilles Morin regardait les gens directement dans les yeux et les regards posés sur lui n'étaient plus les mêmes. Il ne les voyait plus de la même manière...

Il était fier de lui. Il aimait sincèrement la vie qu'il menait. Une vie mouvementée, pleine de défis. Une vie comme il avait souhaité vivre...

Il admettait enfin qu'il n'y avait pas que les pilotes

d'avion qui pouvaient contempler les grands espaces...

Et comme souvent cela arrive dans la vie, il récoltait ce qu'il avait semé. Une attitude positive attirait donc du positif autour de lui.

Il se dénicha un autre emploi au gouvernement, intéressant, qui permettait enfin de vivre confortablement.

C'est à ce moment qu'il fut invité à participer au camp de sélection pour l'équipe nationale de basket.

Il fut sélectionné sur l'équipe provisoire et on lui donna un programme spécifique d'entraînement intensif. Ses compétences seraient évaluées dans quelques mois, en même temps que celles de tous les autres jeunes qui étaient pressentis comme lui pour former une équipe gagnante.

La vie prenait une tournure agréable, une tournure normale.

Gilles s'y donna à fond... jusqu'au jour où un vague mal de dos se transforma en douleur aiguë qui lui rappelait étrangement certains souvenirs qu'il aurait préféré oublier à tout jamais. Mais le médecin était confiant : ce n'était qu'un kyste à la colonne vertébrale, rien de bien alarmant. Il serait opéré et tout rentrerait dans l'ordre par la suite. La seule véritable contrainte dans tout cela : il lui fallait retarder les entraînements de quelques mois.

Gilles s'obligea à voir le côté positif de la chose malgré une vive déception. Son séjour à l'hôpital serait donc comme des vacances. De toute façon, il était fatigué et il en avait besoin. Depuis quelque temps, il brûlait la chandelle par les deux bouts...

Gilles fut opéré ; il profita de son séjour à l'hôpital pour se dire qu'il était en vacances... et se mit à compter les jours où il aurait le feu vert pour reprendre l'entraînement...

Cet entraînement fut un fiasco...

La douleur persistait et la faiblesse développée à ne rien faire ne facilitait pas les choses.

Gilles serra les dents, se convainquit que c'était normal et temporaire et continua l'entraînement malgré tout.

Mais elle n'était pas normale, cette douleur, et elle ne fut pas temporaire.

Elle s'intensifia et devint omniprésente. Diagnostic : un nouveau kyste à la colonne vertébrale. Il semblait bien que le dos de Gilles ne supportait plus les entraînements.

Le médecin parla alors d'une seconde intervention.

Peut-être qu'après, tout rentrerait dans l'ordre, n'est-ce pas ?

C'est ce que Gilles se disait, c'est tout ce qu'il voulait croire. Il avait besoin d'y croire pour se rattacher à quelque chose. Car de nouveau, il avait la nette sensation que tout s'effritait autour de lui et en lui.

Le cœur en deuil, le corps en charpie à cause de la souffrance intolérable qui lui était revenue comme aux premiers temps après son accident, il se présenta à l'hôpital pour une seconde intervention. Encore une fois, il s'obligeait à voir cet arrêt dans sa vie comme un moment de vacances. C'était là la seule façon qu'il avait trouvée de garder le moral. Se dire en congé, profiter d'un séjour à l'hôpital comme d'un séjour à l'hôtel. Séjour qui se prolongea plus qu'il ne l'aurait souhaité. Cette seconde intervention ne donna pas les résultats escomptés. Le médecin parla d'une troisième intervention. Il n'avait pas le choix...

La douleur était revenue telle une compagne indésirable lui collant au corps comme une seconde peau. Pour Gilles, ce fut comme revenir à la case départ. Le temps s'effaçait, il avait l'impression de tout reprendre à zéro. Surtout lorsque le médecin vint le voir pour lui donner son congé.

— Cette fois-ci, on a réussi l'intervention. Tout a repris sa place, le kyste est enlevé et tu vas voir, la douleur va finir par s'en aller complètement. Un peu de réhabilitation et promis, tu seras comme avant... Par contre, l'entraînement...

Et derrière le sourire que le médecin arborait, Gilles devina l'importance de cette mise en garde. À travers le scepticisme de la voix, il comprit aussitôt l'interdit. Fini pour lui les périodes d'entraînement intensif. Alors fini aussi l'espoir de faire partie de l'équipe nationale, fini les tournois, l'équipe...

Et ce mot, entendu à travers les autres, glissé dans la conversation comme par inadvertance, ce mot qui lui revenait en vagues lentes et l'obsédait maintenant que le médecin avait quitté sa chambre et que Gilles se retrouvait seul. Réhabilitation... Comme avant, comme au premier temps. Même à distance, Gilles sentait l'odeur de François-Charron, cette senteur de soupe aux légumes imprégnée jusque dans ses moindres recoins comme dans tout bon collège qui se respecte. Seulement fermer les yeux et il revoyait le gymnase, entendait la voix d'une physio, lancinante litanie, qui lui disait de ne pas lâcher, qu'il allait y arriver, qu'il en était capable...

Pour la seconde fois, il fit son maigre bagage et déménagea ses pénates de l'hôpital pour s'installer au Centre

François-Charron. On allait lui redonner la forme. Mais Gilles se demandait pourquoi vouloir à tout prix retrouver la forme. Car, un an après sa première opération, il devait mettre un terme à sa carrière sportive. Il n'avait pas le choix.

Son droit aux prestations d'assurance-emploi arrivait à échéance, son contrat au gouvernement n'était pas renouvelé…

Pourquoi ? Pourquoi est-ce que ça m'arrive à moi ? Pourquoi avoir encore aussi mal ?

J'en ai assez de souffrir, je ne comprends pas pourquoi je dois endurer tout ça. Il me semble que j'en ai eu assez jusqu'à maintenant, non ? Mon dos est redevenu une plaie vive. Le moindre mouvement me donne des élancements dans tout le corps.

Et j'ai peur. Une peur différente de celle que j'ai déjà connue et qui cette fois-ci se rattache à moi et non aux autres, mais elle me donne les mêmes vertiges. Où est-ce que je vais trouver le courage de me battre encore si ce n'est pas pour reprendre l'entraînement ?

Je suis déçu, tellement déçu. J'aimais vraiment le basket et j'étais bon.

Le temps vient de s'arrêter de nouveau. J'ai dans la bouche le goût trop bien connu de l'amertume, de la déception.

Qu'est-ce que je vais faire de mon temps, maintenant ?

De la réhabilitation… J'ai l'impression que c'est une farce de mauvais goût !

Comme au jeu de serpents et échelles auquel je jouais quand j'étais petit. Un coup de dés malchanceux et je viens d'attraper le bout de la queue du plus gros serpent. Je dégringole à la première rangée... Je n'ai plus de travail, je n'ai plus droit au chômage, je n'ai plus d'équipe. Pourquoi avoir permis que je goûte à toutes ces joies-là si c'était pour me les enlever? Je trouve ça injuste.

Pourquoi? Je n'avais pas besoin de ça. Pas de cette façon-là. Je vais me retrouver à Charron comme au premier jour, recommencer les exercices pour renforcer mes jambes qui n'arrivent plus à me soutenir et mes bras tout comme mes épaules qui ont fondu à cause de ce repos forcé. J'étais un athlète, je redeviens un handicapé...

Ça m'écœure. Ça ne me tente pas.

Ma vie sera-t-elle un éternel recommencement? D'une chose à l'autre, est-ce que je vais toujours avoir à revenir à la case départ sans jamais réussir à atteindre mes buts? Mon droit se limite-t-il à regarder les autres de loin, les envier et me contenter d'applaudir? C'est moche, très moche. Décourageant aussi.

J'étais à deux pas de l'équipe nationale. Je savais que j'étais capable. Je savais qu'on allait me sélectionner pour de bon. Les Olympiques étaient même un but réalisable. Mais il semble bien que ce n'était pas pour moi. C'était seulement une illusion, un mirage. C'est décevant. Très décevant.

Je me sens faible, encore une fois démuni, fragile. Et je suis en colère. Une colère qui ressemble à de la frustration.

Je suis fatigué de me battre pour des riens parce que j'ai l'impression que tout ça ne me mènera jamais à rien...

Le mot réhabilitation me reste en travers de la gorge. Ça ressemble trop à une défaite.

* * *

Malgré tout, Gilles se prêta à tout ce qu'on lui demanda de faire. Par besoin intrinsèque de bouger, d'être actif, lui qu'on venait de clouer à un lit pendant des mois alors qu'il avait pris l'habitude de s'entraîner plusieurs heures par jour. Oui, il recommença les exercices de base, malgré la rage qu'il avait au cœur quand il lui arrivait de croiser certains anciens coéquipiers qui revenaient parfois au Centre pour des ajustements, des remises en forme. Eux, au moins, ils savaient pourquoi ils se remettaient en forme…

Mais l'athlète en lui n'était pas mort. Son corps reprenait vigueur, son esprit aussi. Cet esprit de combattant, de vainqueur n'avait pas dit son dernier mot. De nouveau, comme lors de son arrivée à Québec, par choix délibéré, il décida de prendre les journées une après l'autre. Ne rien brusquer, ne pas faire de prédictions inutiles et, surtout, ne pas laisser l'abattement s'emparer de lui.

Faire confiance…

Il ne savait pas vraiment à qui ou à quoi, mais tout au fond de lui, Gilles sentait que s'il ne gardait pas le moral, c'est là, et uniquement là, qu'il perdrait une bataille. Pour l'instant, rien n'était dit, rien n'était fait.

Pourquoi se contenter de vivre pour une seule et unique chose alors que le monde est fait de tant de nuances ?

Me voilà encore une fois à Charron. Ça me fait tout drôle de me retrouver ici à faire de la réhabilitation. Réhabilitation… Je crois bien que c'est le mot du dictionnaire que je déteste le plus ! Mais voilà que je prononce ce mot et qu'une certaine réserve s'impose à mon esprit. Pourquoi attacher du négatif à cet état de chose ? Je sais que si je m'y donne à fond, je peux arriver à améliorer mon sort. C'est dangereux de penser que je suis de retour à la case départ. C'est peut-être une sensation inévitable, mais dans le fond, est-elle vraiment réelle ? Je ne repars pas à zéro, la peur de ne pas y arriver n'existe pas vraiment, car je sais que je suis capable de m'en sortir avec les honneurs. Je l'ai déjà fait une fois, pourquoi pas aujourd'hui ? Il n'y a pas de défaite ou de bataille perdue. Il y a simplement un combat qui se continue. Comme cela arrive pour tant et tant de gens. Mon combat à moi, présentement, c'est de me retrouver debout. Après, je pourrai passer à autre chose. Il ne faut plus jamais penser que la vie s'acharne contre moi. Jamais. Je dois regarder vers l'avant sinon, si je concentre mes énergies sur le moment présent, c'est là que je vais perdre pour de bon. Je prends les jours un à la fois, mais je dois garder mon regard loin devant. C'est ce que j'ai fait ces dernières années. Et ça a porté fruit. Je dois me répéter que c'est là l'important. Malgré la douleur qui persiste encore dans mon dos. J'ai vaincu cette même douleur une première fois, je vais la vaincre encore une fois. Je ne dois surtout pas succomber, me laisser aller au découragement. Même si je suis déçu. Dans mon jeu à moi, s'il y a des serpents pour descendre au plus bas, il y a aussi des échelles pour monter au plus haut.

La vie m'a appris à utiliser ce que j'avais pour aller plus loin. Je dois continuer.

Le sport a été un de ces atouts pour me donner envie de me battre. Mais je ne dois surtout pas penser qu'il était le seul de mon jeu. Il doit y en avoir des tas d'autres…

Je sais que le sport va me manquer. Mais encore une fois, exactement comme lorsque je suis arrivé à Québec, j'ai l'impression qu'il est temps que je passe à autre chose, que je tourne cette page-là pour découvrir le reste de l'histoire.

Le monde ne s'arrête pas au sport en chaise roulante même si c'est là que j'ai finalement trouvé ce qui manquait tant à ma vie.

Un peu curieux tout de même que ce soit dans le monde des handicapés que j'aie enfin trouvé ce que je cherchais tant. Moi qui ne voulais surtout pas en faire partie… Comme quoi il y a toujours un côté caché à chaque médaille.

Le sport va me manquer, l'équipe, les entraînements, les tournois, les voyages… Cette visibilité que j'avais et qui me remontait le moral. Les journalistes, les entrevues, les conférences… Je l'avoue, tout cela faisait de moi un homme neuf. Mais la preuve que je cherchais désespérément à me donner, celle que j'étais un homme à part entière capable de dépassements, je l'ai trouvée. Le simple fait d'avoir été pressenti pour faire l'équipe nationale suffit à me faire dire : mission accomplie !

Ce qui m'arrive aujourd'hui n'est peut-être qu'un autre signe de la vie.

J'ai choisi de me dire que c'était là, inscrit dans le cours du temps, exactement comme mon accident, finalement. Et que si je dois arrêter le sport, c'est qu'il y a autre chose qui m'attend. Plutôt que de voir uniquement ma déception, je dois me dire qu'il était peut-être temps de dépasser le connu pour foncer à la découverte de l'inconnu. Alors pourquoi me débattre pour échapper à ce qui semble être ma réalité ?

L'acceptation d'un état ou d'événements malheureux n'est pas une abdication face à la vie. Cela, je l'ai appris à mon corps défendant. L'acceptation, dans toute la grandeur du terme, c'est le courage et la force de dépasser ce qui nous semble une limite. L'acceptation, c'est ce qui nous permet d'avancer, de passer à autre chose.

Et c'est exactement ce que j'ai envie de faire : passer à autre chose. Aller voir ce qui se cache, de l'autre côté du mur. Je n'ai surtout pas perdu cette envie d'explorer le monde. J'espère que je ne la perdrai jamais, car cette curiosité me garde vivant.

Faire confiance, n'est-ce pas ?

C'est peut-être la leçon la plus importante que l'accident m'a obligé d'apprendre. Accepter pour avoir la liberté de passer à autre chose. Pour survivre, je n'ai pas eu le choix. Ça m'a peut-être pris des années pour le comprendre avant de l'admettre, mais maintenant que c'est fait, je ne veux pas retourner en arrière. Même si cela semble toujours plus facile de laisser tomber les gants et déclarer forfait.

Je ne veux plus jamais déclarer forfait.

On n'échappe pas à son destin.

Le mien se devait de frapper un mur de roches pour me donner envie d'aller voir ce qui se cachait derrière. J'ai longtemps cru qu'il n'y avait rien. Puis, petit à petit, j'ai eu peur de ce que j'y trouverais, croyant sincèrement que rien, jamais, ne serait à la hauteur de mes attentes. Je me trompais.

Sans l'accident, peut-être bien, finalement, que je serais passé à côté de la vie... Mais peut-être pas, non plus. Ça, je ne le saurai jamais. Ça fait partie des rêves, des espoirs entretenus et des déceptions inévitables. Pour moi comme pour tout le monde.

Aujourd'hui, pour moi, le mot handicapé n'existe plus. Pas dans le sens rétréci que je lui donnais. Je suis un homme différent. C'est tout. Et je crois bien que les gens que je rencontre le sentent. Maintenant, c'est mon visage qu'ils *regardent quand on se croise. Les béquilles viennent toujours en second, comme on regarde l'habillement de quelqu'un. Je dois lier mes espérances devant l'avenir à ce nouvel état de choses. Je suis un homme comme tous les autres et je crois bien que si moi je l'ai enfin compris, les gens autour de moi aussi le comprennent.*

Mes jambes un peu encombrantes et les béquilles font partie de ce que je suis. Rien de plus. C'est à la fois négligeable et important. C'est moi.

Je vais donc poursuivre les exercices de réhabilitation. Avec colère, je l'admets. Mais j'ai droit à cette colère. Suffit d'en faire une force pour m'aider à sortir de Charron le plus vite possible. Dehors, je sais que la vie m'attend et je suis pressé de la rejoindre.

Pour voir ce qu'elle me réserve.

Le monde est vaste et je n'ai pas fini de le découvrir. Il me reste tant et tant de choses à faire, à dire, à explorer. J'ai retrouvé ma gourmandise face à l'avenir, je ne veux surtout pas que le premier revers que je croise arrive à tout détruire encore une fois. Des revers il y en aura toujours et je n'en possède pas l'exclusivité. Tous et chacun, nous avons de ces déceptions, de ces reculs, de ces rêves non réalisés. Alors, je vais continuer. Comme à dix-neuf ans, je veux tout faire, tout posséder et je ne me connais pas de limites. Les limites que nous avons ne sont finalement présentes que dans la tête. Elles prennent la place que nous voulons bien leur donner. Et si j'ai décidé, moi, qu'il n'y avait aucune limite, c'est qu'il n'y en a pas. C'est certain que je connaîtrai encore des obstacles, des frontières que je ne pourrai pas franchir. Mais je ne veux plus les percevoir comme des limites. Je préfère croire que si quelque chose m'est interdit à cause des béquilles, c'est uniquement pour me pousser ailleurs, pour m'obliger à regarder ailleurs. C'est le choix que j'ai fait pour ma vie. Foncer droit devant, à fond de train. Vivre à cent à l'heure. L'homme que je suis a choisi de vivre debout !

* * *

Aujourd'hui, Gilles mène une vie rangée en banlieue de Québec. Il a une compagne, il a revu sa fille, il occupe un emploi qui l'amène à rencontrer des gens. Pour lui, c'était important et il a pris les moyens pour y parvenir.

Il a même refait de la moto avec ses copains…

Après sa dernière période de réhabilitation, un ami, à ce moment agent d'artiste, lui a fait rencontrer Benoît Camirand, un photographe réputé. Ayant le physique de l'emploi, Gilles a alors fait de la photo pour des publicités diverses : parfum, lunettes, mode… Il a renoué avec la vie publique comme s'il ne l'avait jamais quittée, avec gourmandise, avec un plaisir évident. Il y est à l'aise et aime bien essayer toutes sortes de nouveautés. Ce côté-là de sa personnalité n'a jamais été altéré. Ni par l'accident ni par les retours en arrière. Et de faire ces photos, d'oublier complètement sa différence, parce qu'elle n'avait pas la moindre importance, a permis à Gilles de tourner la page définitivement. Il a une vie à vivre, la sienne. Elle a été faite de difficultés qui l'ont obligé à se remettre en question, elle est aujourd'hui faite de quotidien et d'espoirs, et elle sera toujours active. Gilles est un homme qui aime bouger. Il n'a jamais toléré les demi-mesures… à lui de faire en sorte que ses attentes soient comblées.

Qui peut prétendre n'avoir jamais eu aucun combat à livrer ? Personne n'est-ce pas ? Sur ce point, malgré tout,

Gilles n'est pas différent des autres. La vie est ainsi faite…

C'est pourquoi il n'a aucun regret. Et si c'était à refaire, il le dit avec force et conviction, il referait de la moto. Pour lui, c'est très clair. Mais l'expérience aidant, il est évident aussi que la prudence serait une compagne de tous les instants. On ne défie pas la vie impunément…

Les difficultés ne font peut-être pas grandir, mais elles obligent à apprendre en les dépassant. Et Gilles a appris. Il avance désormais en flairant la vie autour de lui, en laissant sa curiosité et sa rage de découvrir vibrer avec force sans s'imposer les habituelles retenues que nous avons tous tendance à nous créer. Gilles vit le moment présent avec intensité sachant, plus que quiconque, que rien n'est acquis et que tout peut lui échapper du jour au lendemain. Nous ne pouvons prédire l'avenir, mais nous pouvons faire en sorte que le moment présent soit à notre image. Aujourd'hui Gilles dégage un amour de la vie intense et vrai. Il a acquis une ouverture d'esprit qui ne peut faire autrement que d'ouvrir les portes devant lui.

C'est d'ailleurs à la suite de la parution de ses photos dans diverses revues et à la télévision que Gilles a été sollicité pour faire du casting. Encore une fois, il s'y est donné à fond. Malgré les petites grimaces occasionnelles lorsque la présence des béquilles imposaient certaines réserves…

C'est d'ailleurs sur un plateau de tournage, lors d'une des interminables périodes d'attente, que l'envie d'autre chose, l'envie d'un pas de plus lui est venue. À regarder les gens autour de lui, à examiner tout ce qui l'entourait, Gilles comprenait qu'un film, finalement, ce n'est pas autre chose qu'une histoire que l'on raconte. Histoire banale, mouvementée, triste, heureuse, extravagante.

Qu'importe? Cela ne restait qu'une histoire…

— Et si je racontais mon histoire? murmura-t-il.
Pourquoi pas? Elle en vaut une autre. Toutes les vies ont
leur histoire…

L'idée était lancée…

Post-scriptum

Quelques faits ont été volontairement omis dans ce récit, je n'ai pas senti le besoin d'en parler.

Je me rappelle m'être assis dans un champ et avoir pleuré à n'en plus finir. Je ne voulais pas de cette vie-là. Je n'acceptais pas de voir mes rêves s'écrouler, ma vie être détruite. Je ne voyais plus le soleil briller, ni les fleurs et la verdure, s'épanouir.

Je vivais dans un cauchemar et le cauchemar a duré plus de huit ans.

Il y a eu une multitude de petites et grandes peines, mais aussi beaucoup de petits et grands moments de bonheur. Ceux et celles qui y ont participé s'en souviendront.

Je me suis battu afin de me construire une qualité de vie. Je suis fier de ce que je suis aujourd'hui et je ne donnerais ma place à personne. J'aurais peur qu'elle n'ait la force de la surmonter comme je l'ai fait, cela dit sans prétention. Par contre, je sais pour l'avoir vécu, qu'il y a à l'intérieur de soi toutes les possibilités nécessaires pour s'en sortir même si parfois, au départ, on l'ignore.

Aujourd'hui je me sens comme un prisonnier qui vient de terminer sa peine. J'ai retrouvé la liberté, la vraie, celle qui se vit d'abord et avant tout à l'intérieur de soi.

Je n'ai pas choisi de vivre ma vie avec un handicap, mais

j'ai choisi de bien vivre malgré lui. Le jour où j'ai cessé de regarder ce que je ne peux plus faire pour découvrir tout ce qu'il me reste à accomplir, ce jour-là j'ai arrêté d'avoir peur des regards posés sur moi, car même si les gens me voient comme une personne handicapée, je sais qu'ils regardent au-delà des apparences...